VUELA...
a tu libertad

Alfonso Lara Castilla
autor de *La búsqueda*

VUELA...
a tu libertad

EDITORIAL DIANA
MÉXICO

1a. Edición, Noviembre de 1986
40a. Impresión, Enero de 2006

ISBN 968-13-1598-7

Ilustración de portada: Saúl Martínez.

Arenal 24, Edificio Norte
Ex Hacienda Guadalupe Chimalistac
01050, México, D.F.

IMPRESO EN MÉXICO – PRINTED IN MEXICO

A los seres que
anhelan su libertad
interior. . .

Vagaba en una especie de sopor. . . de amnesia. . . no lograba entender ni sentir mi rebeldía, sólo mi orgullo era lo que mantenía mi deseo ardiente de libertad y la necesidad de entender mi razón de existir.

Quería salir. . . huir, demostrarme algo a mí mismo; sentía un dolor, un choque en mi interior; una inquietud incontrolable; un desasosiego continuo y una terrible impotencia de sentirme tranquilo y satisfecho. Buscaba, sin saber qué deseaba.

La angustia de mi inquietud producía sobresaltos y temores indefinibles.

Sabía que estaba inmerso en este mundo, en este espacio, en el que me sentía atado, desilusionado y desconcertado. No aceptaba esos comportamientos absurdos y vanos, cargados de violencia y destrucción, carentes de valores e ideales. Ni esa propaganda sutil y tendenciosa que se infiltra en mi mente. . . en mi sangre.

En esos momentos me sentía rechazado o tolerado por mis amigos e incomprendido por mi familia; no quería ser como ellos, estaba deseoso de amar, de ser alguien por mí mismo. Deseaba desatar mis ligaduras y encontrar mi libertad, mi "yo", una razón que justificara mi existencia.

Pasaba horas con mi mente en blanco o llena de pensamientos vagos, negativos, sin concentrar, sin encontrar ese algo que me hiciera sentir completo. Luchaba por entender: ¿Quién era? ¿Qué me tocaba por hacer y contribuir? ¿Quién definía mis ideales y comportamientos? ¿Cómo sería alguien? ¿Por qué ese vacío y autodesprecio?. . . ¿Por qué esa incomprensión del mundo que me rodeaba?. . . ¿Por qué esa rebeldía?. . . ¿Por qué esa inconformidad, esa zozobra? ¿A dónde me dirigía?. . .

Necesitaba encontrar un camino. . . alguien en quién confiar. . . en quién creer. Había caído en un aburrimiento silencioso, vivía en una soledad masiva y solitaria; sentía una profunda tristeza y un doloroso vacío interior. . . Repentinamente mi "Ser" me impulsó a levantarme. . . y empecé a caminar atraído por algo hacia las montañas azules.

Estuve ante ellas, paralizado, en espera; indeciso. Era un conjunto de gigantes que recortaban sus perfectos perfiles, en pleno equilibrio y armonía con el Creador. . . majestuosas, bellas, silenciosas.

Según la leyenda, en esos espacios existen unas "Águilas de Luz" que orientan a los hombres a la búsqueda de niveles mentales de mayor armonía, cuya misión es la de mantener la flama del orgullo, del valor y de la dignidad del hombre. . . y que se les considera seres sagrados porque tienen el

Y empecé a caminar. . .

valor, la determinación y la libertad para conocer los secretos de las alturas.

En ese misterioso ambiente, mis ojos empezaron a percibir una extraña luz que penetraba en mi interior y despertaba en mi "Ser" el deseo de llegar a conquistarlas.

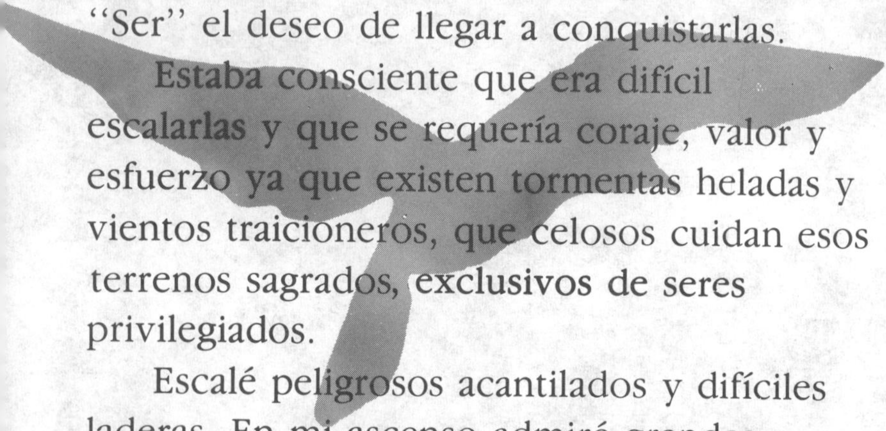

Estaba consciente que era difícil escalarlas y que se requería coraje, valor y esfuerzo ya que existen tormentas heladas y vientos traicioneros, que celosos cuidan esos terrenos sagrados, exclusivos de seres privilegiados.

Escalé peligrosos acantilados y difíciles laderas. En mi ascenso admiré grandes maravillas. Casi en la cima de la montaña, una extraña sensación recorrió mi cuerpo cuando entré a una cueva. En su interior había un ambiente cargado de paz y tranquilidad y luces multicolores que se infiltraban por entre las rocas. Las paredes estaban tapizadas de figuras y mensajes en letras doradas. Se encontraban ahí las experiencias, pensamientos y manifestaciones del hombre en su paso evolutivo. Desde su interior se gozaba y contemplaba a través de la boca de la cueva la fantástica belleza y el increíble espacio lleno de calma y plenitud que reinaba entre las montañas. Sentí estar en otro mundo, en otro espacio, en otro nivel de conciencia. . . extraño, desconocido, inquietante. . . y a la vez sereno.

Empezaron a fluir mis pensamientos; se abría mi interior, percibía sensaciones diferentes, sentía un gozo muy especial al pisar ese misterioso suelo. . . ese lugar encantado de incomparable belleza.

En el horizonte contemplé a dos grandes águilas, que en su majestuoso y sereno vuelo se cortejaban, se acariciaban y persuadían y con delicadeza jugaban y retozaban.

Emocionado, veía a esas águilas vibrar de felicidad. . . percibía su amor flotando en el ambiente, transmitiendo una grata sensación de paz, de conciliación interior, de regocijo. . . de vida. . .

Había algo en ellas que las acercaba a su naturaleza. En su cadencioso vuelo se ofrecían mutuamente sentimientos espontáneos, de entrega y amor. . . Dominaban la gravedad y el espacio. Sus movimientos acariciaban el viento; su plumaje reflejaba el sol. . . sus sentimientos trascendían el tiempo y el espacio.

De pronto presentí algo extraño, se rompió el hechizo de ese momento. . . cesó el canto del viento, se hizo un silencio profundo, como presagio de una desgracia. Escuché ruidos de motor cada vez más fuertes y aparecieron en forma sorpresiva en un aparato unos cazadores, los que sin piedad dispararon a las águilas con potentes escopetas.

Ante mi asombro, el águila macho se quedó en lo alto, atónito, sin comprender. La hembra reaccionó rápidamente, volando en picada y perdiéndose entre los matorrales. El macho quedó expuesto a los cazadores, pero la hembra volvió a las alturas para rescatarlo; para protegerlo. Justo en el momento en que se unían, recibieron más disparos ardientes. . . y protegiéndose ambas cayeron abrazadas, dando vertiginosos giros. Ante este absurdo suceso, lleno de dolor, con desgarrante alarido grité: ¡¡Asesinos!!. . . ¡¡Cobardes!!. . .

Mis gritos retumbaron como un eco en el ambiente, como una protesta en contra de esa violencia. . . Desesperado, bajé la montaña corriendo con grandes zancadas. No me importaban las ramas, las piedras y

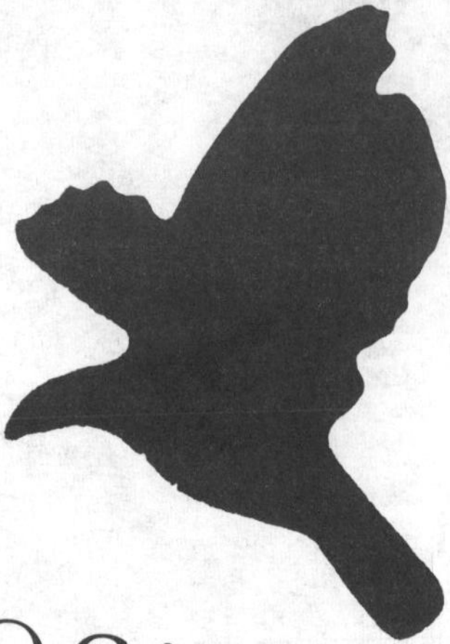

¡¡ASESINOS!!

los peligros; sólo pensaba salvar a las águilas. Escuchaba en mi mente las palabras de mi abuelo: "Cuando las águilas son convertidas en trofeo sus almas no descansan".

Angustiado, herido y agotado llegué al pie de la montaña, deseoso de encontrarlas vivas. Identifiqué a la hembra bajo dos grandes árboles, entre rocas y hojarasca, terriblemente destrozada. . . muerta.

Sentí un dolor profundo y con respeto la tomé del suelo y la escondí entre los matorrales para que esos hombres no la convirtieran en trofeo.

Con afán busqué a la otra águila. Mi corazón lloraba de tristeza por la maldad y deshumanización de esos hombres; amaba a las águilas, que para mí eran un símbolo de libertad y de grandeza.

En lo alto de un árbol entre las ramas, descubrí al macho desvanecido, pero aún con vida. Tenía un ala y un costado destrozados. La abracé y cubrí con mi cuerpo que vibraba por la angustia y coraje contenidos. Con mucho esfuerzo la subí hasta la cueva en lo alto de la montaña.

Coloqué al Águila suavemente entre unas hojas y ramas secas y empecé a curarla. Cuando restablecía su ala destruida, experimenté un profundo sentimiento de ira

y de tristeza: ¿Por qué destruyen a estos espíritus que tienen el coraje de luchar por su libertad?

Durante toda la noche atendí al Águila, esperando cualquier reacción favorable. Sentía el intenso frío de la madrugada y de la maldad humana que amargaba mi corazón.

Al amanecer, el Águila abrió lentamente sus ojos, tenía una mirada penetrante. . . extraña. . . triste; reflejaba dolor. Empezó a registrar con su vista todos los rincones de

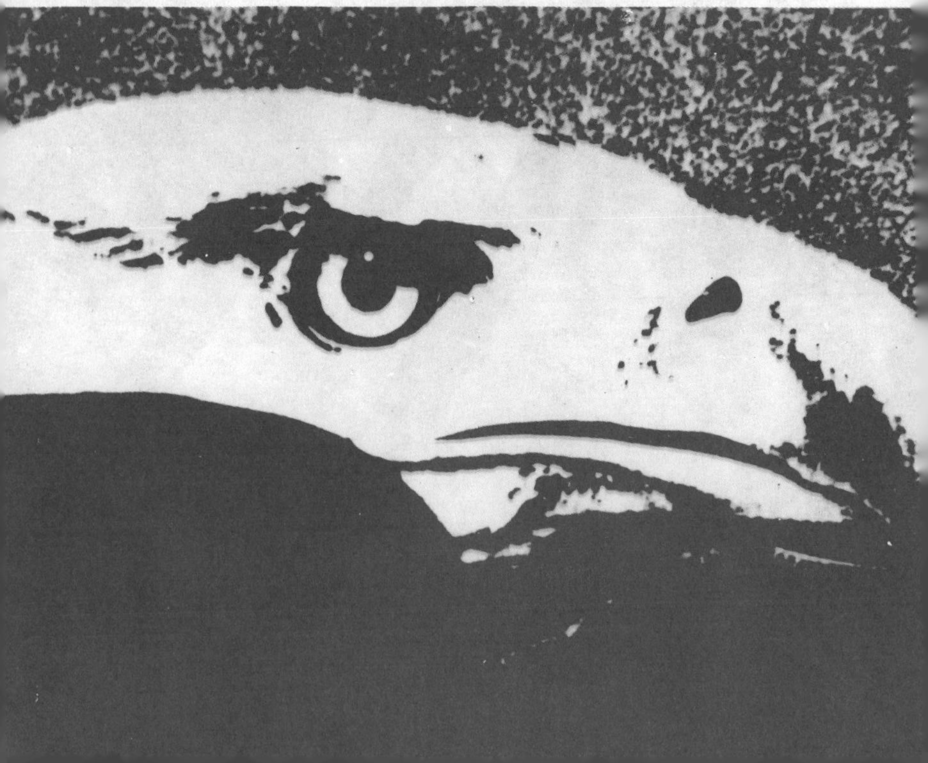

la cueva. Al no encontrar lo que deseaba, se quedó mirándome y sentí que estaba tratando de entender: ¿Quién era yo? ¿Por qué lo curaba?. . . ¿Qué había pasado con su hembra?

Con un dejo de terror en sus ojos, presintiendo la respuesta que no quería escuchar, el Águila al fin preguntó:

—*¿Y Ella?. . .*

Asombrado al oírla hablar, permanecí mudo por un momento; mi silencio y mi incapacidad de mentir le comunicaron la desgracia. El llanto en sus ojos reflejaba su dolor y su tristeza y pedía que le dijera que era un error; que no era cierto.

Al reponerme de la sorpresa conseguí hablar y reafirmé su pensamiento:

—LO LAMENTO. . . LA ESCONDÍ ENTRE LOS MATORRALES.

El Águila se estremeció al recibir el impacto de la noticia; se destruía su interior, y se desgarraban sus entrañas. Aún en esas condiciones mantuvo su mirada firme. La veía estremecerse, sollozar, y con lágrimas en sus ojos solicitó:

—¡Rescátala. . . y entiérrala junto a mí!

Permanecí un tiempo desconcertado, sorprendido. Era algo fantástico e irreal. ¿No estaré soñando? —me preguntaba—. ¿En qué espacio o dimensión me encuentro?. . .

¿Estaría realmente en otra realidad. . .? ¿Qué es lo que tenía el ambiente que me permitía captar esos mensajes con facilidad?. . .

Bajé para rescatar a la hembra, temeroso de que los cazadores nos descubrieran. La escondí entre mis brazos y con cautela la trasladé hasta la cueva. Al verme llegar el Águila se levantó con esfuerzo. Sus ojos denotaban su profundo sufrimiento.

Con respeto y solemnidad deposité a la hembra en el suelo. Al hacerlo, el Águila se abalanzó sorpresivamente sobre el cuerpo de Ella y desesperada, con la cabeza y el pico trató de moverla, de despertarla. No quería aceptarlo. . . fueron momentos difíciles. . . estrujantes, llenos de dolor. . . y de tristeza.

Al estar cavando la tumba, sentí la penetrante mirada del Águila, que a pesar de su pena y sufrimiento, era capaz de transmitir a través de su armonía y entereza el respeto a la muerte y su amor a la vida.

Ambos mantuvimos un silencio largo. . . doloroso. . . cada uno sumido en nuestros propios sufrimientos. . .

El Águila seguía viéndome intensamente, penetrando en el fondo de mis ojos, como tratando de entender: ¿Qué tanto sabía yo? ¿Cómo llegué hasta ahí?. . . ¿Qué era lo que buscaba?. . . ¿Estaría huyendo de la realidad?. . . ¿Tendría el coraje y la determinación de autodescubrirme?. . . Se mantuvo callada, observándome mientras la curaba. . . Después con clara y profunda voz afirmó:

—¡En tu interior veo heridas profundas, desconcierto, duda y temores difíciles de sanar. . .!

No contesté. ¿Cómo conocía eso de mí? ¿Qué era lo que tendría que aprender de ella?. . . ¿Me estaría juzgando, evaluando o entendiendo?. . . ¿Podría confiar en ella? ¿Podría realmente ayudarme o sólo confundirme más?. . .Y me preguntaba: ¿Será un Águila de Luz?. . . Entonces, si no estoy dispuesto y abierto para aprender, ¿para qué vine aquí, y de qué sirvió todo mi esfuerzo?. . .

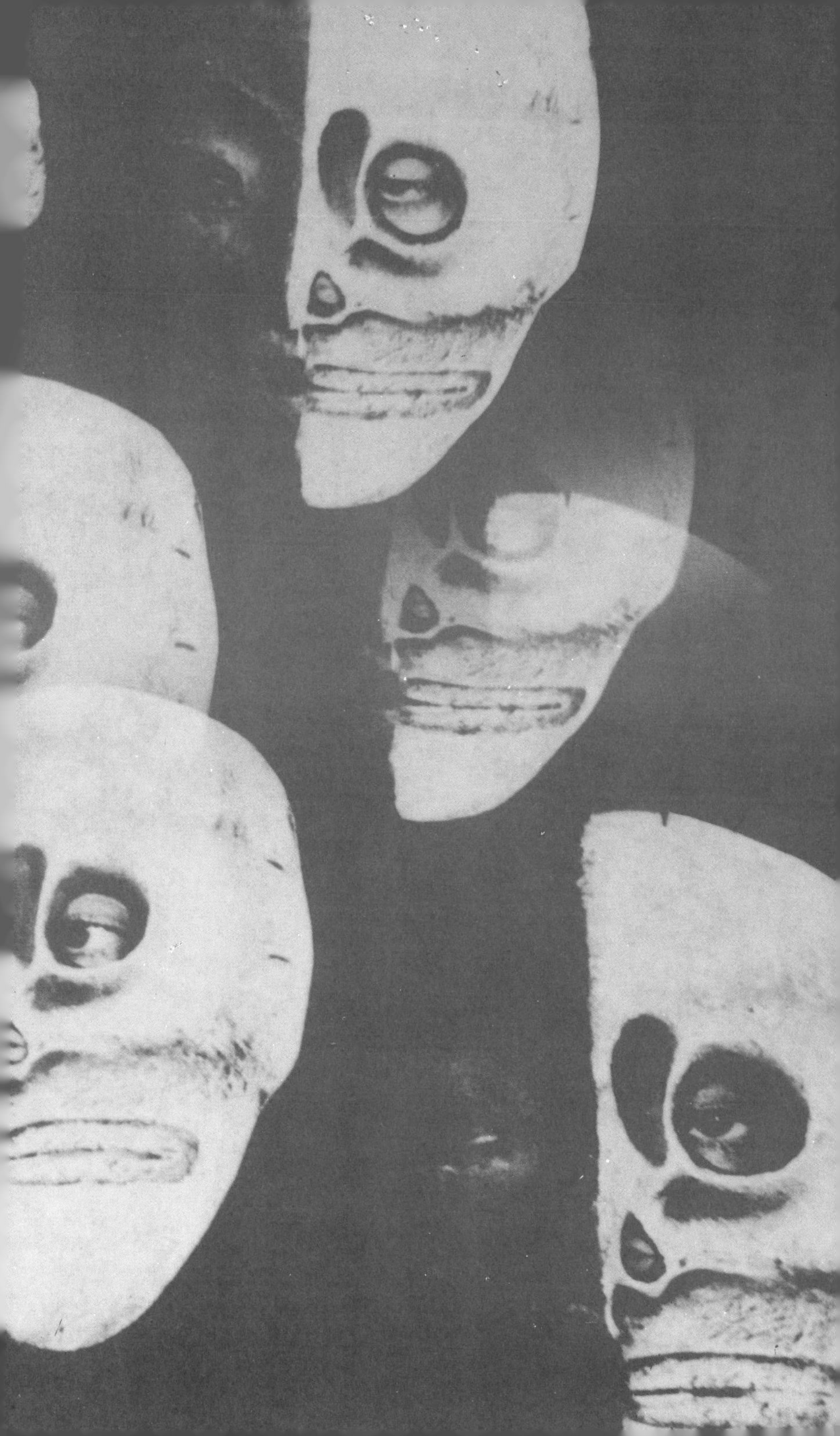

Algo diferente existía en ese lugar. Sentí armonía, tranquilidad, belleza y preocupación por lo vital. El Águila interrumpió mis pensamientos y con voz profunda preguntó:

—*¿Qué es lo que anhelas?*

Algo en mí me hacía dudar, pero la situación me solicitaba confiar, era lo que necesitaba para solucionar mis conflictos, mitigar mis angustias y resolver mis insatisfacciones y contesté:

—NO LO SÉ, ESTOY CONFUNDIDO, SÉ QUE MI INTERIOR ME EXIGE QUE BUSQUE, PERO AÚN NO SÉ QUÉ BUSCAR, NI QUÉ VOY A ENCONTRAR. . . EL MEDIO, MI SITUACIÓN ES INCIERTA. . . SIENTO QUE ME DESGARRA Y ME DOMINA. . . ¡ANHELO SER LIBRE! NO TENER TANTAS ATADURAS, PARTICIPAR. . . SER ALGUIEN. . .

—*¿Habrás renunciado a tu realidad?* —me interrogó el Águila.

—A MI REALIDAD. . . SÓLO PORQUE HE DEJADO DE

CREER EN TODO Y EN TODOS: —contesté sinceramente—. EL MUNDO QUE ME RODEA SE HA VUELTO VANO, ABSURDO, MATERIALISTA Y CÓMODO. . . ADEMÁS, HIPÓCRITA Y ALIENADO TRATANDO DE MANIPULARNOS EN UN CAUCE SIN VALORES, LLENO DE VIOLENCIA —y continué diciendo—. ME DUELE QUE MIS PADRES, MIS MAESTROS, MI IGLESIA Y TODAS LAS INSTITUCIONES SEAN INCONGRUENTES, INDIVIDUALISTAS E INDIFERENTES HACIA NOSOTROS.

—*¿Y qué ha pasado en tu interior?* — —volvió a preguntar.

Lleno de coraje le manifesté:

—¡ESTÁ VACÍO!. . . LE FALTA ALGO. . . ¡ME DUELE NO ENCONTRAR SENTIDO, NO ENTENDER LO IMPORTANTE O ÚTIL DE LA VIDA. . . QUIERO ENCONTRAR COSAS TANGIBLES, COMPROBABLES, NO SÓLO PALABRAS Y SENTIMIENTOS! ¡ESTOY HARTO!. . . ¡HARTO!. . . A VECES HE PENSADO ORIENTARME HACIA EL SEXO, LA DROGA, EL ALCOHOL, O LAS CAUSAS PERDIDAS, HASTA HE PENSADO RENUNCIAR A TODO. . . A TODO, ¡ESTOY HASTIADO. . . ABURRIDO!

—*¿Aburrido? ¿En este mundo lleno de riquezas. . . de valores. . . de retos. . .?* —interrogó el Águila—. *¿De qué estás aburrido y harto?*

—DE SERMONES LARGOS Y APRENDIDOS —contesté—. DE TANTAS FALSEDADES E HIPOCRESÍAS, Y DE PERSONAS CON COMPORTAMIENTOS ABSURDOS Y POCO AUTÉNTICOS.

DONDE QUIERA QUE BUSCO ENCUENTRO LO MISMO, BAJO DIFERENTES FACETAS, DISTINTAS MÁSCARAS.

—*¿Has dejado de creer en todos?* —cuestionó—; *te puedes equivocar, y a tu edad es fácil confundirse, y un error pone en juego parte o toda tu existencia futura. No puedes ser o dejar de ser conforme a que las personas y las circunstancias no actúan en base a lo deseado o esperado.* —Y me indicó:— *Es importante que entiendas y aclares tu posición interior, tu manera de aceptar o rechazar tu estar y gozar la vida.* —Se detuvo y prosiguió diciendo:— *Siempre encontrarás seres auténticos* *que transforman su corazón y su experiencia en enseñanzas, porque brotan de lo más profundo de su ser.*

—¿Y CÓMO LOS IDENTIFICO? —pregunté—, SI LA MAYORÍA ACTÚA COMO SI LES EXIGIERAN U OBLIGARAN A VIVIR, LLENOS DE VANIDAD E INDIFERENCIA.

—*Sólo viendo directamente a los ojos. . .* —contestó el Águila— *ahí identificarás en su interior su compromiso, que es la opción que el Creador otorga a los seres humanos, para que se orienten a la armonía y plenitud.*

Los seres tenemos dos grandes fuerzas: una que nos aferra a la seguridad y comodidad, a las posiciones defensivas, al pasado, y nos mantiene con la mirada hacia atrás; y la otra, la que nos enfrenta con coraje y determinación a la vida, corriendo los riesgos y descubriendo día a día la riqueza interior. —Prosiguió diciendo:— *Esta opción de orientar y dominar esas*

fuerzas está inspirada en nuestra libertad interior.

Escuchaba las palabras del Águila, plenas de sencillez y humanidad, y colmadas de sabiduría. Estaba confundido, sentía que no eran sensatas esas palabras ante mi realidad y mi medio. Un medio que con mil hilos sutiles limitaba mi "Ser" y grité para mí mismo: "¡Basta!. . . son palabras vacías, necesito realidades, caminos concretos, oportunidades, algo práctico."

El Águila, adivinando mis pensamientos, expresó con sinceridad:

—Veo que te sientes con el derecho de exigir, juzgar y demandar más respuestas de los demás que de ti mismo, pero. . . tú, ¿qué estás dispuesto a dar?. . .

Me desconcerté, sentí el reproche y al mismo tiempo su demanda. ¡Me dolió!. . . No contesté, me mantuve en silencio, y me interrogué: ¿Dispuesto a dar?. . . ¿Por qué

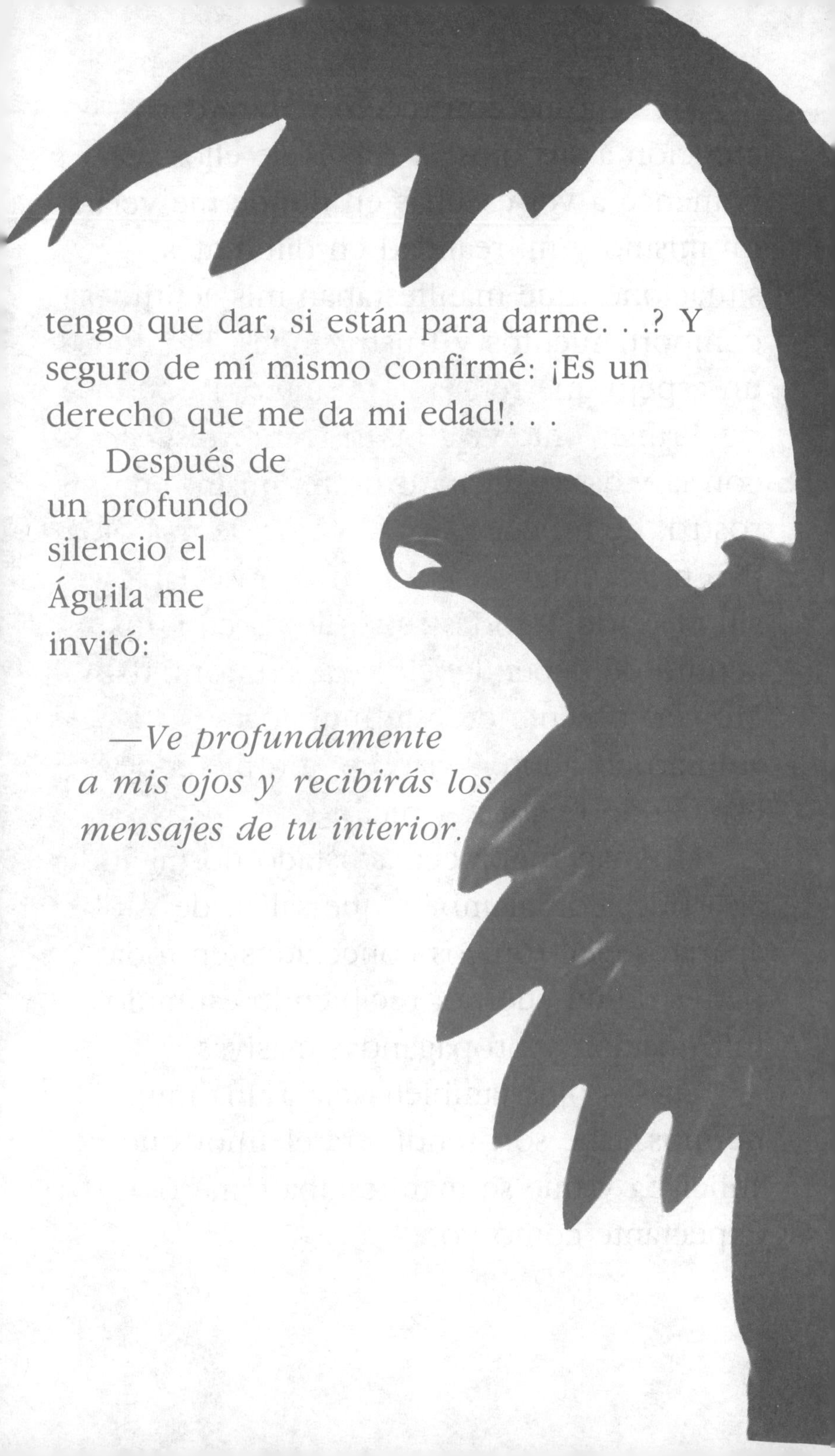

tengo que dar, si están para darme. . .? Y seguro de mí mismo confirmé: ¡Es un derecho que me da mi edad!. . .

Después de un profundo silencio el Águila me invitó:

—*Ve profundamente a mis ojos y recibirás los mensajes de tu interior.*

Me acerqué con recelo y miré con atención a sus ojos. A través de ellos comencé a ver escenas en donde me veía a mí mismo y mi realidad en diferentes situaciones que manifestaban mis actitudes, comportamientos y frustraciones. Era como un espejo que reflejaba mi interior.

Primero me veía insatisfecho, disgustado con la vida, renegando de mí mismo, de mi rostro, de mi cuerpo, del color de mis ojos. ¡No me aceptaba!. . . Me menospreciaba y sin desearlo autodestruyéndome con una actitud de dependencia y de conformidad. Me veía ausente de este mundo;
sin participación. . . sin comprometerme. . .
esperando recibir. . . recibir.

Mi imagen aparece acostado dormitando, aburrido, con alambres que salían de varios aparatos electrónicos conectados en todas partes de mi cuerpo, recibiendo estímulos, información y propagandas masivas.

En sus ojos también veía a una mujer hermosa; me sorprendí: era el amor que yo anhelaba y que se manifestaba temerosa y expectante como yo.

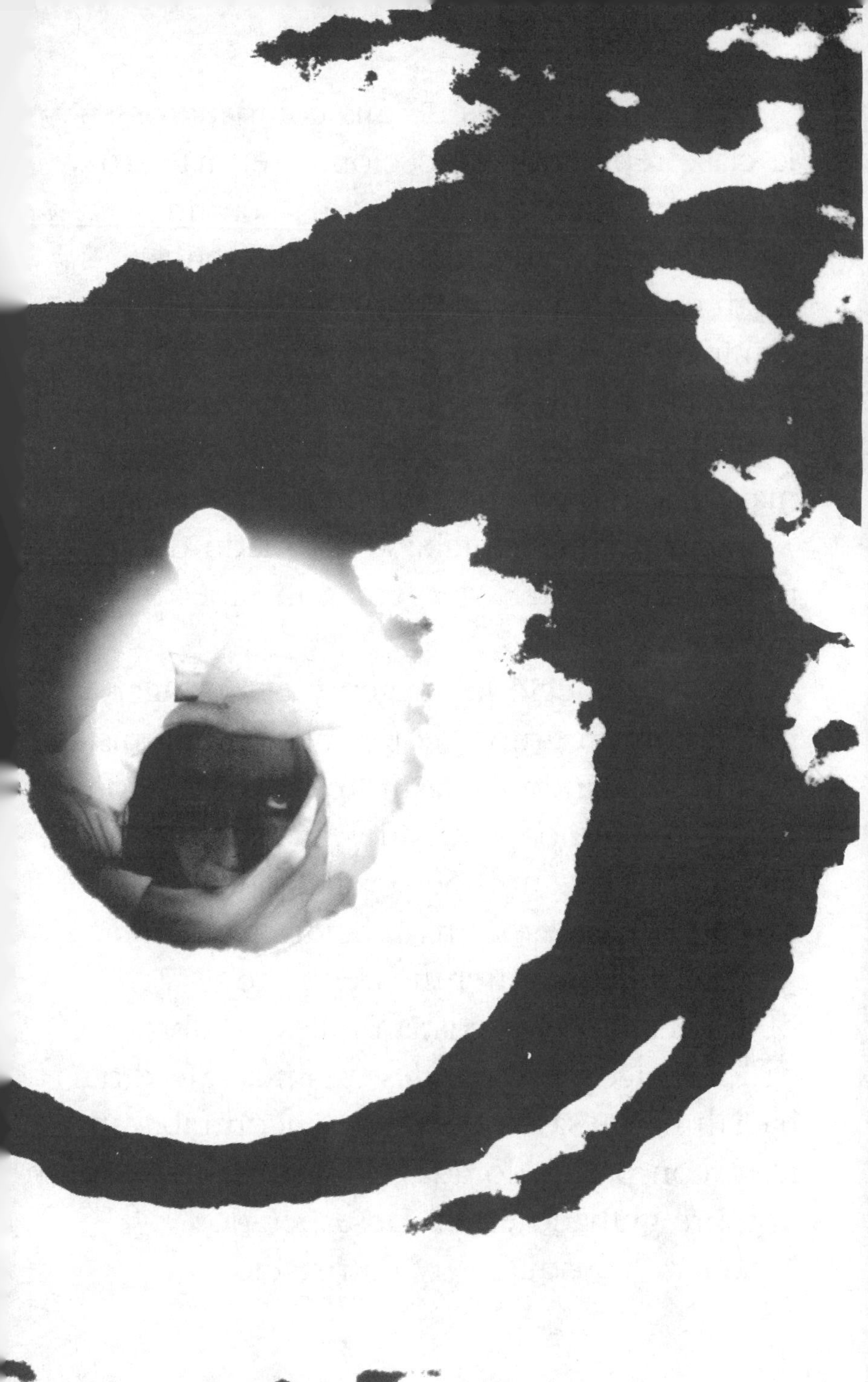

Escuchaba voces de mis compañeros en la clase repitiendo la lección. . . el maestro hablando como disco rayado. . . en un ambiente de aburrimiento e indiferencia. . . Aparecía en un lugar lleno de peligros, caminando en un puente colgante y una figura sin rostro no me dejaba cruzar, me obligaba a deternerme. Impotente lo maldecía y le gritaba sin obtener respuesta.

Corría y me sentaba al otro lado del puente a esperar. . . esperar, sin saber qué esperaba.

Se desvaneció la imagen y en su lugar me vi con un grupo de jóvenes en una pista gigante, bailando cada uno por su lado con diferentes ritmos y variados pasos, y falsamente gozando pero reflejando una profunda tristeza y una rebeldía contenida.

Después me vi en una enorme biblioteca; en ella existían miles de libros casi idénticos, en grandes estantes. Me dirigí hacia una mesa en donde se encontraba un libro con pastas doradas. Al acercarme vi mi nombre grabado en él. Desesperado busqué. . . busqué. . . y entristecido grité: ¡Vacío! . . . Como yo me siento. . . ¡¡Vacío!!

Las imágenes seguían pasando en forma rápida e interminable. Me veía en un gran salón donde entrábamos miles de jóvenes de todas las edades y razas. Caminábamos alegres, formando una fila, íbamos seguros, confiados. . . Al pasar a otra sala, un aire helado nos paralizó, sentí un fuerte estremecimiento y nuestros cuerpos se fueron congelando, nuestras miradas cambiaron de la alegría a la impotencia y empezaron a reflejar una terrible angustia. De mis ojos empezaron a brotar lágrimas; un llanto que manifestaba tristeza, flaqueza, vacío. . . Era el anuncio de una lenta muerte actual. . . y futura.

Veía mi rostro descompuesto por el dolor, por la impotencia, bañado en lágrimas, entre todos los que nos dejábamos congelar sin luchar; sin protestar. Salió de mi garganta un grito de rabia que brotó desde el fondo de mi alma: ¡No! Déjennos actuar, acertar. . . o fallar. . . experimentar, indagar. . . Con coraje y súplica grité:

¡¡DESCONGÉLENNOS!! POR FAVOR. . .

DESCONGÉLENNOS, ¡DÉJENNOS SER!

Poco a poco se desvanecieron las imágenes. En ese momento desperté de esa angustia y dolor, y me agradó ver al Águila tranquila, en espera . . . estaba preocupada por entenderme, por identificar esas razones que me habían orientado hacia la dependencia y la desubicación y que habían restado en mí, el deseo de participar. . . de ser. . . de trascender.

Sentí la comprensión y el apoyo del Águila cuando expresó:

—*Veo que te han hecho mucho daño. . . ¡La libertad no se encuentra huyendo de ti mismo!. . .¡Necesitas volver a creer en ti, en tu medio y en el ser humano!, confrontándote contigo mismo y con tu realidad. . .*

— ÉSTA ES MI REALIDAD! —afirmé como si de repente revelara mi secreto—. ¿CREES PODER AYUDARME. . .? ¿SERÍAS CAPAZ DE QUITARME TODAS ESTAS ATADURAS?. . . ¿AUN EN ESTE CAOS?. . . —pregunté.

El Águila abrió sus enormes alas, llenó el espacio con una luz dorada y recibí su intensa mirada que emanaba de su interior y que lentamente penetraba en mi ser como un fuerte impacto. . . sentí un despertar dentro de mí; un

cambio en mi interior. . . Fue un breve instante. . . que se convirtió en una explosión de felicidad, de compromiso. . . de amor infinito.

El Águila expresó:

—El orden y la armonía en el universo existen, a pesar de la confusión y el caos. . . ¡Las circunstancias no deben dominarte! ¿Puedo ayudarte a poner piedras en el camino?. . .

Para mi sorpresa aparecieron en las paredes imágenes que se fundían con las figuras y mensajes. Se veían unos prados llenos de trigo de un dorado intenso; una escena plena de amor entre dos seres; un paisaje precioso de un bosque; una cascada con el agua fluyendo suavemente; y un celeste cielo con una pequeña nube blanca flotando. Al otro lado veía un prado lleno de rosas rojas y blancas; un animal con su cría, y un grupo de jóvenes cantando y gozando.

En esa cueva, testimonio de la vida, de

la alegría, de la fuerza y manifestación de la naturaleza, el Águila afirmó:

—El caos contrasta con la esencia del hombre, los bienes y los dones; el Creador nos los otorgó para que los seres lográramos una felicidad suprema en nuestro paso por el mundo. . . y está a nuestro alcance.

Al volar comprenderás tu participación y el compromiso con tu "Ser"; es como conectarte con una energía infinita y armónica, que detiene y domina el tiempo y el espacio. . .

Gritos y voces alteradas rompieron esos momentos de comunión. Eran los cazadores que buscaban con desesperación a sus presas. Sin vacilación cargué otra vez al Águila entre mis brazos y empecé a caminar rápidamente hacia el interior de la cueva. Al fondo entramos en un pasadizo estrecho y obscuro, que nos llevó hasta un largo túnel que desembocaba en la parte superior de una gigantesca gruta.

Era un lugar inimaginable, increíble, lleno de vegetación, de luz. . . de belleza y serenidad. Por un tiempo estuve fascinado, fue algo difícil de describir por su incomparable belleza.

En el techo de la gruta surgían espacios que hacían sentir la presencia del Creador ante la magnificencia del poder de la naturaleza. Grandes estalagmitas se elevaban del piso, como tratando de alcanzar el cielo y preciosas estalactitas se manifestaban como testimonio de la presencia de la naturaleza a través de los años.

Al centro, había una laguna con aguas transparentes, en donde se reflejaba un rayo de sol que penetraba a través de un hueco en una majestuosa bóveda. El silencio sólo era interrumpido por el persistente ruido de una gota tenaz que caía en la laguna, desafiando la quietud y formando círculos perfectos en el agua, como representante de la constancia y esencia del tiempo y de la vida.

Con movimientos lentos y con dolor y esfuerzo, el Águila se subió a una roca. La gruta en ese instante se iluminó intensamente como una aureola de mil colores. Y entre esa luz el Águila estaba de pie, sus ojos tenían un intenso brillo. Las paredes de la gruta parecían de cristal, las rocas del suelo refulgían en un verde esmeralda; algo mágico había a su alrededor, emanaba rayos que se convertían en puntos cintilantes, como estrellas.

Extasiado, no podía creer lo que veía. Intentaba grabar en mi mente ese momento único y grandioso. Desde ahí el Águila satisfecha y deseosa de impartir sus enseñanzas abrió sus brillantes alas y empezó:

—*Coloca cinco piedras de diferentes colores en la palma de tu mano. . .*

Escogí de un lado de la laguna cinco piedras y las coloqué en la palma de mi mano, mostrándoselas. El Águila especificó:

—*Cuando cada una de estas piedras tenga vida propia, estarás listo para*

volar por ti mismo y dominar las alturas. . .

En el silencio de la gruta empezaron las pruebas; éstas eran reflexiones y vivencias que no eran difíciles de entender, pero que requerían de mi mejor esfuerzo y voluntad. Desde ese momento comprendí que era vital mantener una apertura interior y vivir intensamente cada experiencia y ansioso de profundizar y dar respuesta a mis necesidades e inquietudes solicité al Águila:

—¿ME ENSEÑARÁS LOS SECRETOS DE LAS ALTURAS?

—Nadie puede enseñártelos, es algo que tienes que descubrir en tu andar. . . en tu volar. . . integrando en tu interior lo que te es propio.

Un poco desconcertado pregunté:

—¿Y CÓMO PUEDO EMPEZAR MI ANDAR?

El Águila con sabiduría contestó:

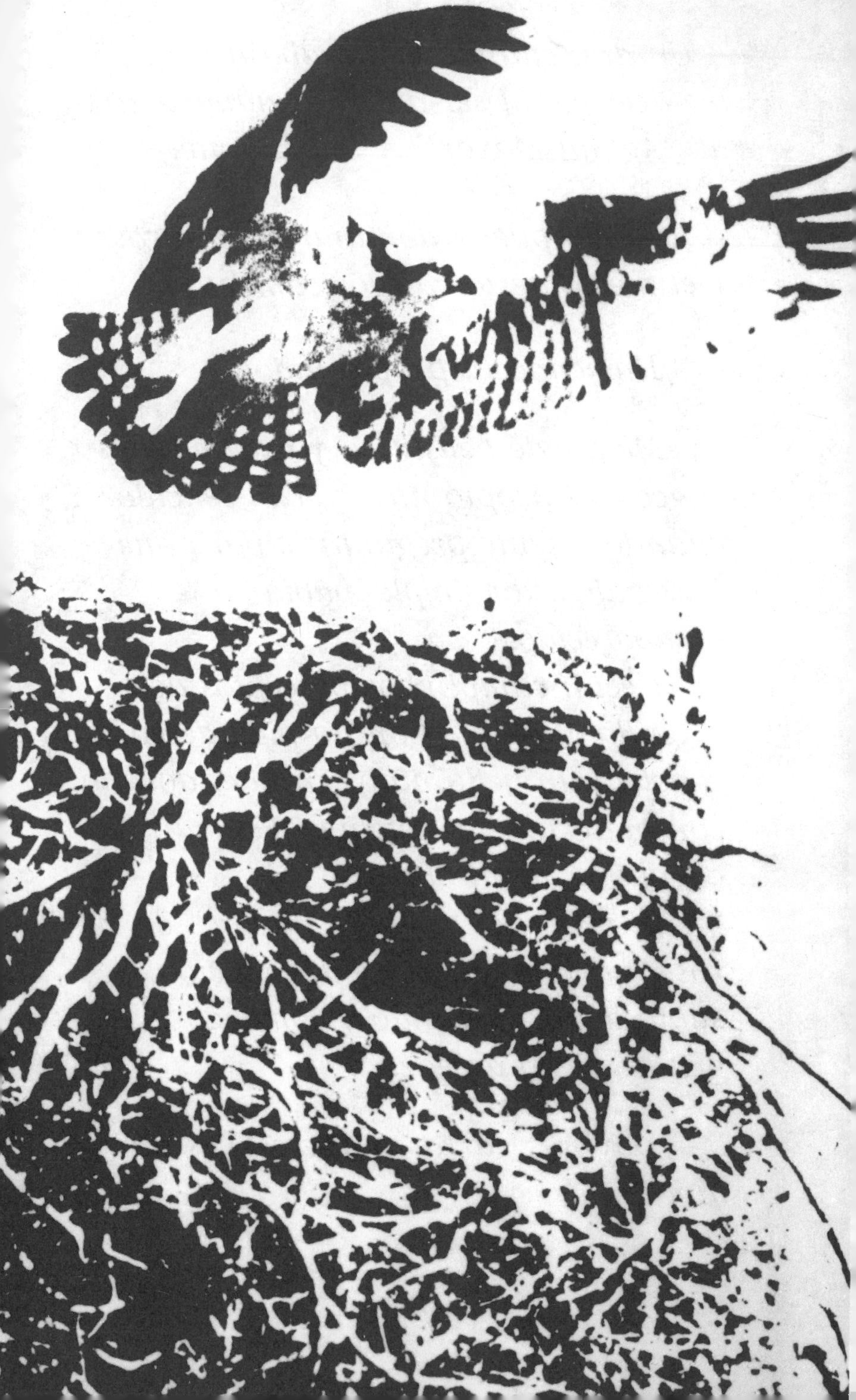

—Un día, cuando empezaba a volar, me acerqué al ser que más admiraba, al "Águila Mayor", y le pregunté:

—"¿Cómo puedo dominar las alturas?" y él me contestó categóricamente:

—"¡Haciendo tu propio nido!. . ."

Me quedé pensativo y extrañado; ¿hacer mi propio nido? ¿Tan sencillo? Y cuando intenté preguntarle para qué hacer algo tan simple, había desaparecido.

Decidí cumplir los preceptos del "Águila Mayor". Con un vivo deseo, construí un bello nido; grande, dorado, con materiales resistentes. Estaba orgulloso de mi obra. . .

Al volver el "Águila Mayor", en su rostro reflejó alegría y aprobación. Se subió dentro del nido y comenzó a gritar, pleno de gozo:

"—¡Doy mis garras a que éste es mi nido!. . ."

"—¡Doy mis plumas a que éste es mi nido!. . ."

Estaba contento, satisfecho, en mi interior había complacido al "Águila Mayor", cuando de repente vi en su rostro una gran preocupación y me atreví a preguntarle:

—"¿Qué te preocupa?. . . ¿puedo ayudarte?". . .

—"¡¡Claro que sí!! —contestó el "Águila Mayor"—. En ti está la solución. Dime:
"¿Qué hago ahora con dos nidos?. . . ¡Has duplicado mi propio nido!"

Y como una gran enseñanza que no olvidaré me solicitó:

—"¡¡Haz tu propio nido!!. . . Al tamaño de tus necesidades, sentimientos, anhelos, valores y circunstancias, pero que sea tu propio nido."

En este momento empezó mi andar. . . mi vuelo tuvo sentido. Y dirigiéndose a mí señaló:

—"Empezarás tu andar cuando decidas dar un verdadero sentido a tu vida. . . a tus inquietudes, sentimientos,

ambiciones y valores, en las circunstancias y condiciones específicas de tu existencia.

"¡No hay acción humana que dé gozo si no tiene implícito el sentido. . .! ¿Realmente quieres empezar tu andar?"

Escuché su pregunta con atención y con la cabeza afirmé. Empezaba a vivir sus enseñanzas. . . a gozarlas; sentía que algo en mi interior empezaba a cambiar. Con amor y respeto seguí curando las heridas profundas del Águila que requerían de tiempo para cerrarse.

El brillo de sus ojos se intensificó y me dirigió otra pregunta, tratando de llegar hasta mi interior:

—¿Conoces realmente la responsabilidad de ser libre?. . .

¿La conocía?. . . ¿Realmente la entendía?. . . Cada uno nos quedamos en silencio con nuestros pensamientos, mientras yo me cuestionaba. El Águila volvió a verme a los ojos y dijo:

—No hay libertad sin sentido. Los hombres han luchado durante siglos para liberarse de las fuerzas externas que les han impedido actuar y pensar por sí mismos. Pero ahora que lo han logrado, no saben qué hacer con su

libertad. . . ¡Serían más libres si supieran lo que quieren, sienten y piensan. . .!

El Águila, presa del dolor por un instante, suspendió sus palabras. Se veía que sus heridas eran aún demasiado profundas y sin perder ese resplandor de luz que la rodeaba, prosiguió:

—*Los hombres, al orientarse hacia la comodidad y seguridad en un estado de pereza mental y carencia de compromiso, dejan de luchar por sus convicciones, por su dignidad. . . por su libertad; buscan a alguien de quién depender, dando origen a la "Autoridad Invisible", una autoridad que reina con muchos nombres y que se ha vuelto escurridiza, y que sin presión manipula, controla y dirige.*

Algo en mi interior me gritó y con arrebato manifesté:

—¡SIENTO QUE ME HAN QUITADO MI LIBERTAD!

Con voz profunda, abriendo y cerrando sus enormes alas el Águila prosiguió:

—Nadie puede quitarte la libertad, porque no es algo que se adquiera o que se compre. ¡Tu libertad "Es", forma parte de ti! ¡Es tuya. . . sólo tú podrás perderla!

Estaba tan ansioso que casi la interrumpí; había descubierto algo valioso que creía haber perdido.

El Águila siguió diciendo:

—El Creador te otorgó la libertad como una cualidad para crecer y ampliar tus posibilidades y oportunidades de vivir y de lograr niveles de gozo y felicidad superiores, para que intentes llegar hacia El. . . Es un atributo que recibiste para trascender. . . —me afirmó—. *Cuando tu ser crezca, madure y enriquezcas tu conciencia y compromiso, volarás hacia "El Águila Eterna"*

Interrumpí con extrañeza e ingenuidad:

—¿AL ÁGUILA ETERNA?. . . ¿QUIÉN ES?

—Es quien vigila —aseveró el Águila— que el espíritu, la esencia y la razón del hombre sobre la tierra perdure. Hace tiempo —siguió diciendo— hubo un Águila que creció tanto. . . que se acercó al Creador, quien por su lucha, esfuerzo y compromiso la

convirtió
en una
montaña,
para que su
presencia
alimentara la
esencia de los
corazones humanos.

Era algo fascinante y fantástico.

Deseoso de conocer su verdad que aún no llegaba a comprender, solicité:

—¿Y CÓMO LO LOGRÓ?

Con marcada emoción, el Águila manifestó:

—No te lo puedo explicar, porque no es explicable. . .

Es un "ser" que por su grandeza interior ha conquistado la atmósfera y el cosmos. Utiliza su gran poder para ayudar a todos los seres en su jornada ascendente hacia su libertad interior y su plena realización.

Llena de alegría y emoción, bajó las alas. Ahora no era la misma, la sentía diferente. . . me inspiraba tanto respeto que no me acercaba ni me atrevía a tocarla. El Águila con humildad me dijo:

—Si me respetas, no me temas. . . todos

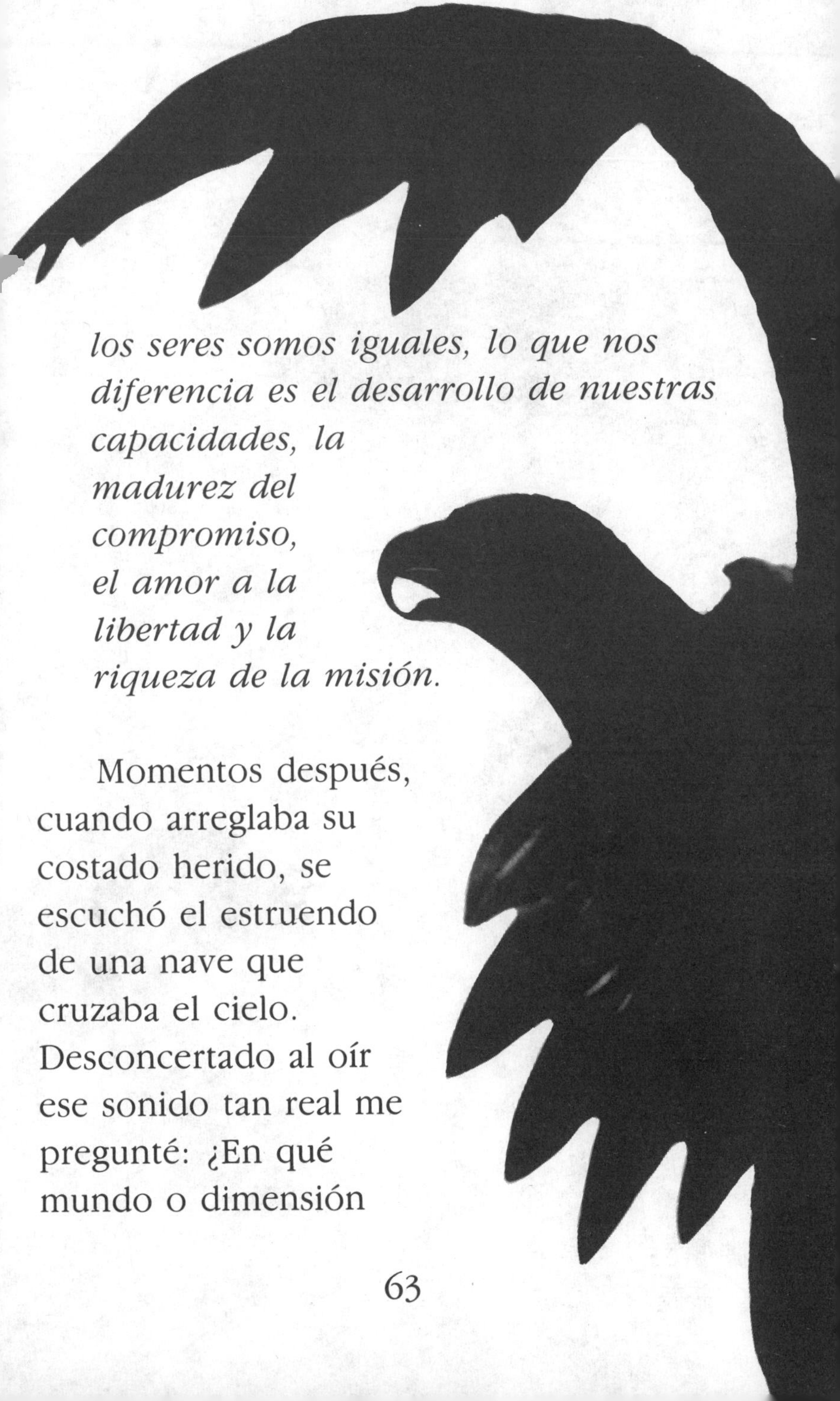

los seres somos iguales, lo que nos diferencia es el desarrollo de nuestras capacidades, la madurez del compromiso, el amor a la libertad y la riqueza de la misión.

Momentos después, cuando arreglaba su costado herido, se escuchó el estruendo de una nave que cruzaba el cielo. Desconcertado al oír ese sonido tan real me pregunté: ¿En qué mundo o dimensión

estoy?. . . ¿Será el Águila real o imaginaria?. . . Este hecho me mantuvo tenso, hasta que el Águila volvió a hablar:

—Esa nave fue diseñada y construida para volar a gran altura, a la velocidad del sonido y para desafiar la gravedad. ¡Esa es su razón de existir! ¿Qué pasaría si dejara de volar. . .? Se oxidaría, se volvería obsoleta. Dejaría de cumplir aquello para lo que fue concebida". Igual que el hombre, cuando no acepta que nació para crecer y alcanzar las alturas, se vuelve esclavo de sí mismo y de las circunstancias. Comienzan a dominarlo la depresión, la inconformidad, el hastío y la pasividad.

Sus cualidades y potencialidades se dejan en el olvido y su espíritu se adormece. Pierde su capacidad de desarrollarse, de alcanzar su realización.

Al oír esas enseñanzas me repetía

emocionado: ¿Para qué me preocupo en qué dimensión estoy? Si esto es un sueño. . . no quiero despertar. ¡Necesito comprender y escoger de estas vivencias y experiencias lo que me es propio!

Algo sucedió en mi interior: se cayó el velo de la duda y del resentimiento hacia mí mismo y la humanidad. Empezaba a entender una realidad que no sospechaba. Después de profundas reflexiones comenzaba a descubrirme.

El Águila interrumpió mis pensamientos cuando me indicó:

—¿Ves la entrada a esas cuevas?. . . dentro de ellas podrás aprender a vivir momentos de libertad que harán vibrar tu interior. Sólo gozarás si decides utilizar tu libertad para dar a tu vida el sentido deseado; transformándote a ti mismo y a tu realidad para elegir libremente las demandas de tu ser y de tu medio. . .¡Ve, aprende a ser libre. . .!

Caminé despacio, pensando: ¿Cómo

debería prepararme a lo desconocido?. . . ¿Qué encontraría?. . . ¿Cómo podría realmente vivir intensamente la experiencia?. . . Empezaron a parecerme naturales mis pasos cargados de deseos, esperanzas y anhelos; ávidos de encuentros. Durante varias horas me interné en las cuevas, caminé y descubrí cosas nuevas; viví intensamente cada momento, cada paso. Sentí que en ellas había algo mágico y misterioso, como que estaba ahí una energía que me estimulaba a decidir. . . actuar. . . ser. . . vivir. . .

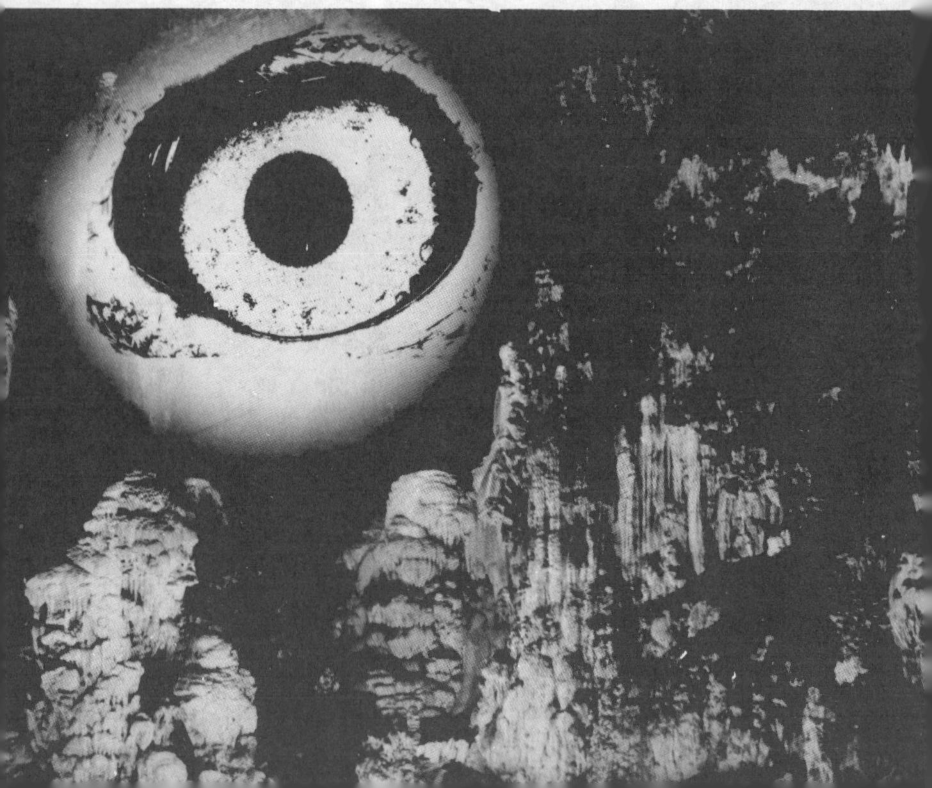

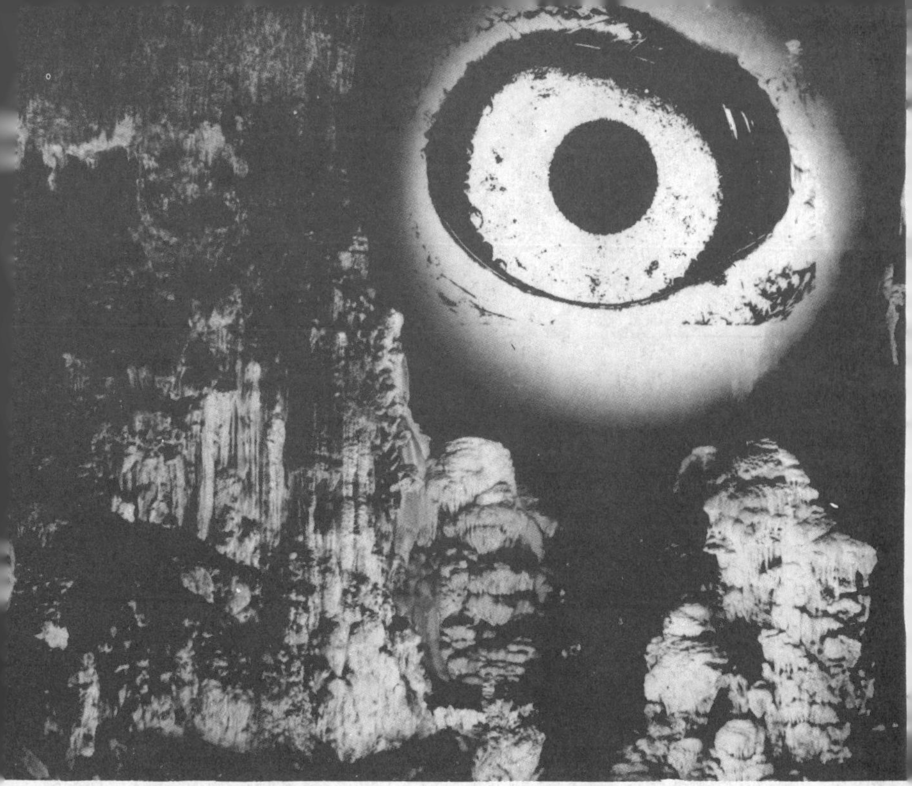

Al volver me sentí profundamente satisfecho. Busqué con ansiedad al Águila, deseoso de contarle mis experiencias, y la encontré meditando. Me recosté a un lado de la roca para esperar y me quedé dormido. Al despertar percibí su presencia, y expectante a mis experiencias solicitó:

—*¡Cuéntame. . .! ¿Qué aprendiste?*

Durante unos minutos ordené mis vivencias y le conté:

—Fue fabuloso, tenía el poder de escoger entre una infinidad de opciones, pero tuve que decidirme por una, y cuando la decisión salía de mi interior me entregaba a ella y la gozaba. Aprendí a renunciar a otras opciones para enriquecer las mías.

De esa galaxia de posibilidades sólo algunas podían formar parte de mi camino. Entendí que había huido de mi realidad con decisiones superfluas, estériles y sin sentido, que siempre busqué librarme de algo, sin tener la capacidad

NI LA ACTITUD DE SER LIBRE PARA ELLO. YO DESEABA UNA LIBERTAD SIN VÍNCULOS, SIN ATADURAS, SIN RIESGOS, SIN RENUNCIA, CON OPCIONES INFINITAS Y LLENAS DE EMOCIÓN.

DENTRO DE LAS CUEVAS HUBO UN MOMENTO EN QUE DESISTÍ —seguí contando al Águila—;

NO QUERÍA SUFRIR EN ESA OBSCURIDAD E INCERTIDUMBRE Y UNA VOZ QUE SALÍA DE LAS ROCAS ME GRITÓ:

—¡NO TE DETENGAS! NO DECIDIR IMPLICA EN SÍ UNA DECISIÓN. . . ¡ES NECESARIO TU ANDAR!. . .

AÚN GOZO LOS SENTIMIENTOS HERMOSOS QUE DESPERTARON EN MÍ ESA EXPERIENCIA, EN DONDE VIVÍ LA LIBERTAD VINCULADA Y COMPROMETIDA CON AQUELLO QUE QUIERO, QUE TIENE SENTIDO. Y LO MÁS INCREÍBLE FUE QUE LO QUE FORMA PARTE DE MÍ YA EXISTE EN MI INTERIOR Y **ES OBVIO**.

COMPRENDÍ QUE COMPROMETERME O VINCULARME POR AMOR O CONVICCIÓN, NO ES UNA ATADURA SINO UN GOZO Y UNA REALIZACIÓN.

El Águila escuchaba atenta y pensativa; su rostro reflejaba satisfacción. A pesar de su debilidad se mantenía erguida y apreciaba con interés mis reacciones.

Después de relatar lo que sentí y aprendí, salí de la gruta a meditar; necesitaba sentirme tranquilo para poder estar a solas con mis pensamientos, entender y ordenar toda la experiencia recibida. Sentado en la entrada de la cueva, sentí raro el silencio. Estaba acostumbrado a intentar pensar en un mundo lleno de ruido y de infinidad de distracciones, que no permitían ni un mínimo nivel de concentración y menos profundizar en mis pensamientos. Ahora, la quietud invitaba a la meditación. Principié por recordar mi pasado; mis sueños, fantasías, inquietudes y debilidades; también recordé mis logros. Estuve durante largo tiempo comunicándome y cuestionándome. Analicé mis necesidades insatisfechas: ¿Qué había pasado con mi ser, con mi familia, con mis estudios, con mi trabajo, con mi amor?. . . ¿Con mi pasado, mi presente y mi futuro?

Al volver, rumbo a la gruta pasé por la cueva y me sorprendí al ver plumas tiradas en la entrada. Caminé nervioso y preocupado hacia el interior, temiendo que los cazadores hubieran atacado al Águila, pero para mi sorpresa la encontré con un aspecto deprimente, casi sin plumas y tratando de arrancarse las garras contra una roca. Su mirada estaba llena de firmeza, de valor. . . de coraje.

—¿QUÉ HACES?. . .—pregunté extrañado.

—*Preparándome para una nueva etapa de mi vida* —contestó el Águila, tranquila y sincera.

—¿PERO POR QUÉ ASÍ? —quise indagar sorprendido.

—*Sólo desafiándome a mí misma,*

demostrándome mi casta, —replicó el Águila— *quitándome las plumas con el pico y arrancándome las garras con las rocas, seré capaz de demostrarme mi valor y entereza.*

—¿Y QUÉ BUSCAS HACIÉNDOTE ESO? —volví a interrogar.

El Águila con tranquilidad me respondió:

—Emprender humildemente una renovación conmigo misma. . . sin plumas, sin garras y con las heridas en mi corazón, pero esta vez será hacia otra dimensión de la libertad.

Estaba feliz por la confesión y la profundidad de sus palabras. Me quedé meditando. Sabía que tenía que despojarme de mi desconfianza, apatía, pereza para pensar, de mi vanidad e inseguridad y de otras plumas o garras que interiormente no me permitían volar libremente. Deseoso de aprender más le pregunté al Águila:

—¿CUÁNDO LO LOGRARÁS?

—*Cuando exista en mi "ser" un nuevo compromiso, más retador y sublime con mi existencia* —contestó el Águila—; *cuando mi potencial, mis plumas y mis garras se hayan renovado.*

Quedé maravillado al escuchar las enseñanzas del Águila. Entendí que implicaba coraje y valor aceptar la opción de renovarse.

Al caer la noche, la gruta se iluminaba con los rayos de la luna, como si la luz siempre estuviera con nosotros. En el ambiente se percibía la vibración de dos

seres que compartíamos una nueva etapa, una nueva experiencia.

Absorto en mis pensamientos no me di cuenta cuando el Águila observaba un gusano:

—*Para que se dé en ti la auténtica renovación* —habló el Águila sabiamente—, *debes aceptar que tus bloqueos existen en tu interior. Por ello es importante que aceptes que eres un*

"Ser" evolutivo y que tu vida lleva implícito un proceso de renovaciones constantes que demandan y necesitan un crecer interior continuo. —Y reafirmó:— *Este gusano es un animal feo, a veces desagradable a simple vista; no sabe qué va a llegar a ser, desconoce su metamorfosis. Pero él acepta su situación y sigue con tenacidad su proceso, a pesar de ser muy largo; lucha contra el medio y*

apoyado por su naturaleza, se prepara día a día hasta que se convierte en una bella mariposa, de colores y dibujos perfectamente armónicos y únicos. En el hombre —siguió diciendo el Águila—, *el crecimiento interior o la transformación del ser, es un proceso formado por un conjunto de acciones, pensamientos, voluntades, actitudes, percepciones y conocimientos que se integran para dar una expansión a la conciencia. . . a la libertad, logrando un espíritu comprometido, colmado de armonía, energía y de riqueza interior que se asimila con la ligereza y la belleza de una mariposa.*

Medité profundamente sobre mi necesidad de renovarme. Era importante hacerlo, sabía que era poco común que los hombres nos renováramos por nosotros mismos. Porque ello implica dolor, ansiedad, angustia, temor a lo nuevo, miedo al cambio. Pero, ¿de qué serviría renovarme si mi dependencia y mi medio me limitaban

para crecer y ser lo que yo deseo? Recordé las enseñanzas del Águila: "Ser tú mismo significa hacerte cargo de tu propia existencia, forjando tu propio destino, asumiendo la responsabilidad de tus propios actos, pensamientos y resultados".

Algo dentro de mí demandaba una respuesta que aún no comprendía. Me acerqué a la roca y con deseos de encontrar esa respuesta pregunté:

—¿CÓMO LOGRO EN MI "SER" EL COMPROMISO?

El Águila con voz plena de energía y ternura en forma persuasiva y convincente me explicó:

—El compromiso es un acto de opción libre, en el que aceptas por convicción que se establezca en ti un vínculo que

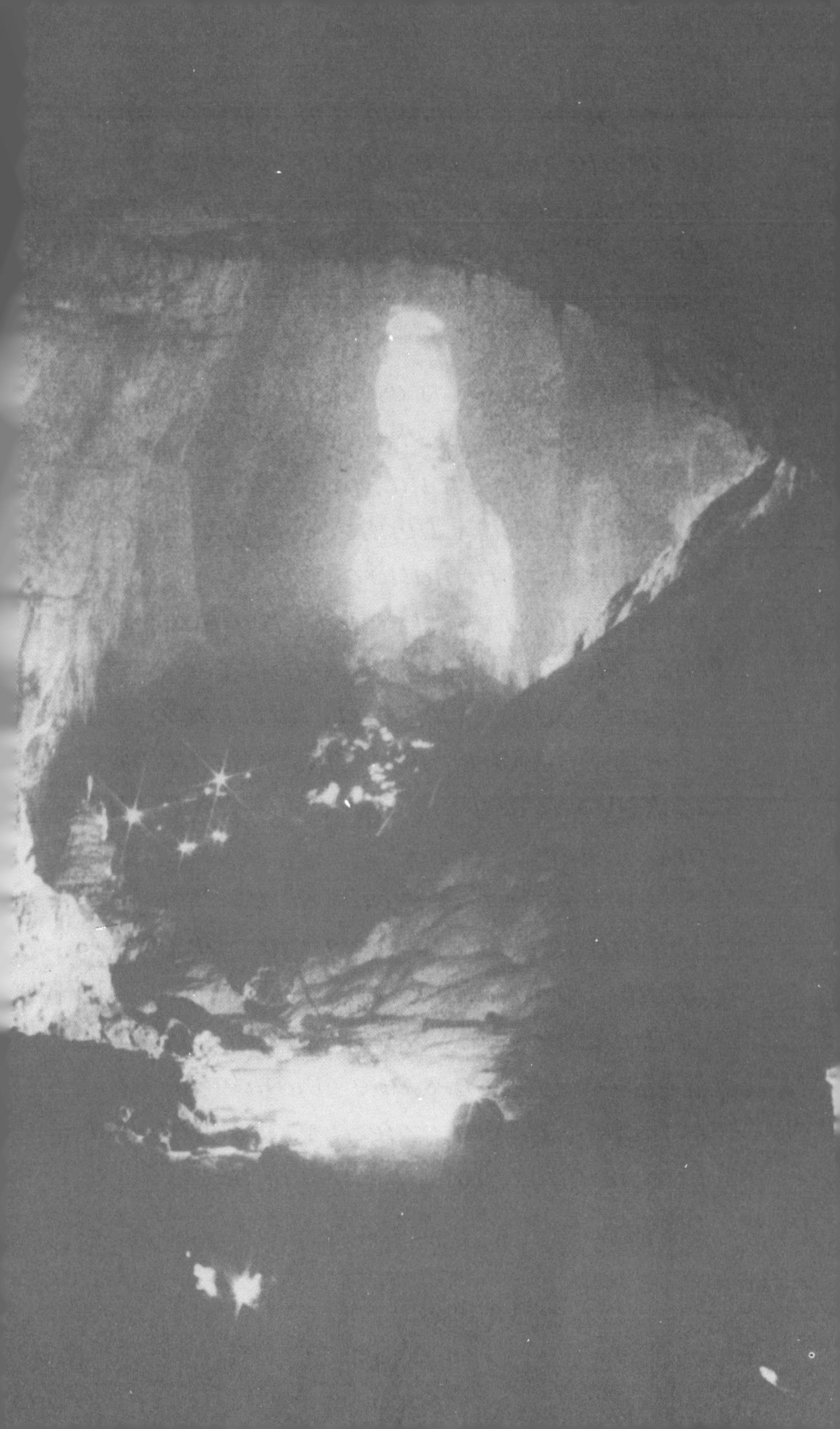

no te permite negarte a ti mismo, ni a lo que forma parte de ti, y que te orienta hacia la armonía y plenitud de tu "ser", desencadenando toda la esencia contenida en tu riqueza interior.

Esas fuerzas o esencias te orientarán hacia el movimiento, crecimiento y evolución, fundiéndote con el infinito y ligándote con lo más profundo de tu naturaleza. Te orientarán dentro de una realidad concreta sobre la que podrás verte, tocarte; oírte. Aceptarás tu espacio, tu cuerpo, tus circunstancias y edificarás tu historia asumiendo la misión de tu propio ser.

Al lograr ese estado de tu "Ser" obtendrás una apertura interior en donde fluirán los sentidos, los sentimientos, las emociones, los valores y las convicciones que emanan de tu esencia y tu naturaleza y que establecen la comunicación con lo que te es propio. . .

Buscarás en cada acción el sentido, no en la apariencia de las cosas, sino en ellas mismas; en su manifestación, en sus movimientos y naturaleza. Esto convertirá tu vivir en un gozo, minimizando el dolor y la frustración ante algo obligado. Y te darás cuenta de que fuiste concebido para gozar plenamente la vida. . . para ser feliz. Al entregar con amor tu esfuerzo y tu voluntad en el hacer diario, recibirás momentos de éxtasis, de satisfacción interior. . . una retribución que el Creador te otorga por tu esfuerzo y decisión de manifestarte. . . de participar.

El compromiso se enriquece si logras salir del "Yo" para entrar en el "Nos", actuando "Con" y "Para" en la intensidad del "Hacer humano", viviendo hermanado con tus semejantes, dejándote habitar, solidario de un mundo que les es propio.

Experimenté las vibraciones que

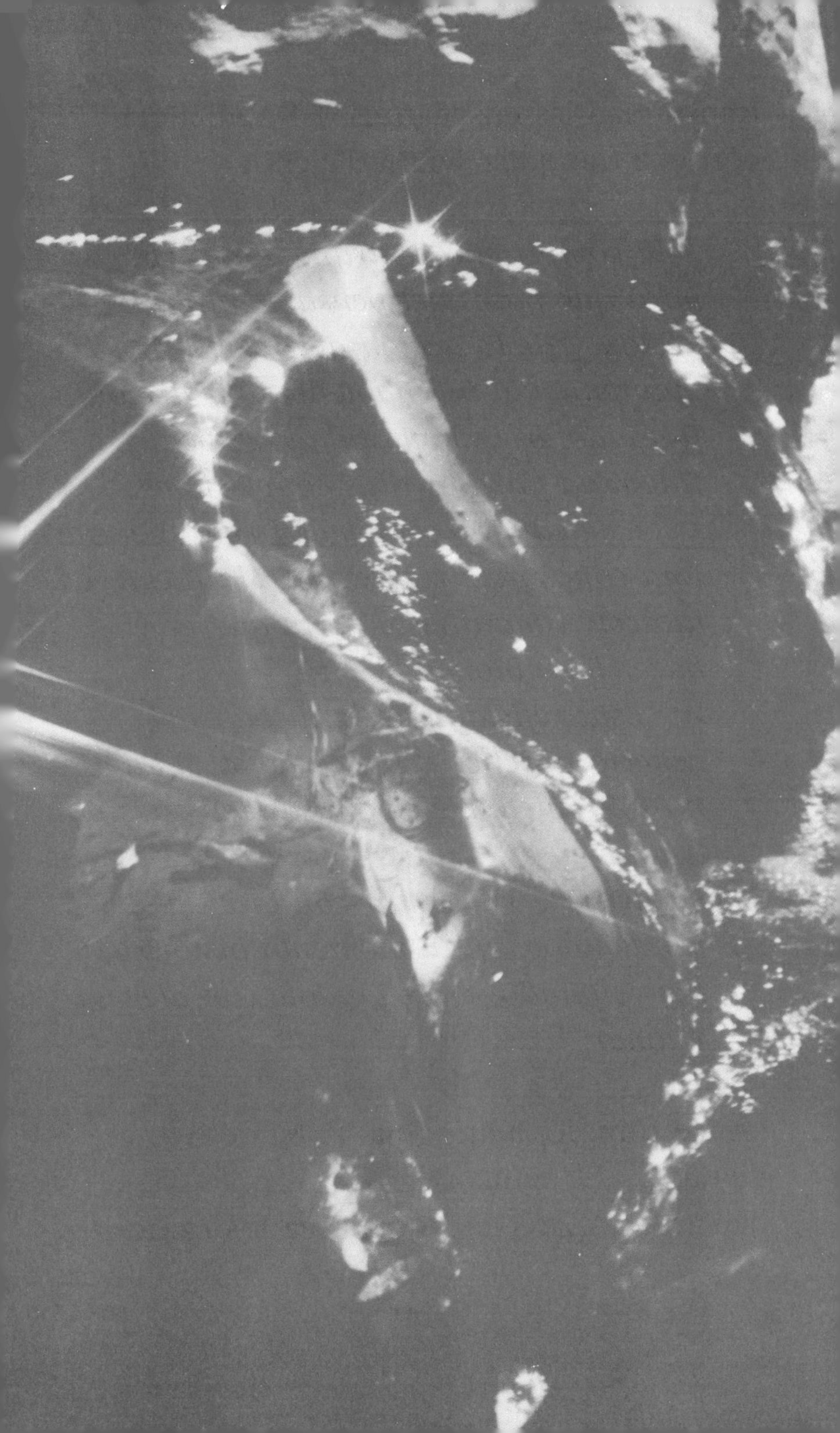

transmitían las enseñanzas del Águila que con voz tranquila siguió diciendo:

—El compromiso entraña convicción, y hará que pases del pensamiento a la acción y de la acción al amor, manteniendo íntimamente una armonía fundada en la honestidad, respeto y fidelidad para con tus convicciones.

Este camino será más firme si existe una conciencia reflexiva en la lucha; en la acción manifiesta de tu querer y hacer humano.

Esta reflexión en la lucha es el aspecto práctico y lógico de la vida, es no sólo quedarse en pensamientos, sino actuar en el "Aquí y ahora"; es encarnarte y "Actuar con la vida", fundiéndote en tu momento histórico, participando, entregándote con alegría y amor.

Se rompió la armonía. . . Se detuvo el viento. . . El Águila dejó de hablar. . . Aparecieron otra vez los cazadores desde lo alto de la gruta. En los ojos del Águila se veía reflejado el peligro.

Me invadió el pánico; el Águila aún no podía volar, estaba herida y sin plumas. Escuché disparos cargados de muerte que retumbaron como cañonazos en la gruta. Vi cómo el Águila caía a la laguna, y se hundía. Al no verla salir, se despertó en mí la necesidad de salvarla, y, sin pensarlo, me precipité a buscarla, sumergiéndome hasta el fondo en donde fuertes corrientes internas me arrastraban y, casi sin aire, luché contra ellas con todo mi esfuerzo para salir a la superficie. Fueron segundos angustiosos. Al salir del agua, con asombro me di cuenta que estaba dentro de una cueva en un río que corría rápidamente hacia una caída, cuyo estruendo se escuchaba con la fuerza de una tormenta.

Con esfuerzo logré alcanzar la orilla y salvarme de caer por la cascada. Al reponerme empecé a buscar al Águila. La encontré en una actitud reflexiva y tranquila; me estaba esperando. Me recibió con amor, patentizando su grandeza interior como si nada hubiera pasado, y siguió sus enseñanzas:

—Siempre existen otros caminos cuando el hombre mantiene

su búsqueda interior. . .

Cuando el compromiso madure en tu ser, empezarás a salirte de los márgenes, abandonando los esquemas previos y te exigirás a ti mismo más allá de lo conocido, desafiándote a alcanzar nuevas metas y logros y ampliarás tus perspectivas, esperanzas y capacidades.

Al vivir tu compromiso te amarás

más a ti mismo, compartiendo con tus semejantes tu diario devenir.

En ese estado manifestarás
libremente la entrega
plena a tu misión
como "Ser
Humano",

que demanda
que te entregues
a ti mismo, tomándote,

integrándote como un todo, haciendo tuyo tu "Ser" y tu destino. Ese estado o actitud hacia la vida guiará tu búsqueda hacia un definirte, medirte, ampliar tus límites y perspectivas, conforme la concepción que tengas del ser humano y de ti mismo; dando sentido a tu existencia y una razón de ser a tu vivir, gozar y hacer.

Tu misión, que va desde lo finito hasta lo trascendente se encarnará en tu "Ser".

Estuvimos largo tiempo contemplando la belleza del estanque y gozando el sonido de la cascada. Al volver a la gruta ella me guió; pasamos por pequeños arroyos y peligrosas barrancas y cañadas. Logramos ascender en contra del viento y los torbellinos que entorpecían la escalada, subimos por una escarpada pared y sorteamos continuos desprendimientos de las rocas.

Al entrar a la gruta nos detuvimos a descansar y contemplar un hermoso atardecer. El sol se filtraba por las hendiduras de las rocas, formando mil pequeños rayos, que acompañaban al haz principal, y daban un matiz de irrealidad a la belleza y colores de la laguna con lo adornado de la bóveda donde colgaban las estalactitas.

El Águila subió de nuevo a la roca, abrió sus alas, llenó de luz la gruta y anunció:

—*Es importante que te prepares. . . volarás en las alturas para que conozcas y entiendas tu naturaleza, los vientos y las tormentas de la vida. . .*

Fue larga mi preparación. Participé ampliamente, haciendo aportaciones significativas y preguntas que el Águila tuvo que replantear. Eran respuestas a grandes verdades que la humanidad aún no ha resuelto; que son tan vitales que nos hacen dudar a los hombres del mismo hombre. . .

En esa gruta llena de luz y de increíble belleza se escuchaba la voz segura del Águila, que a través de diálogos, de ejercicios, de meditaciones y de reflexiones, lograba penetrar en mi interior y esculpir sus enseñanzas. Con sabiduría explicaba cada situación que iba a vivir:

—Al volar debes gozar y sentir tu vuelo, el cual será tranquilo porque sabes hacia dónde vas. . . Es una experiencia que detiene y domina el tiempo. . . En las cumbres más altas el esfuerzo físico y la voluntad se convierten en una misma cosa. . . ¡La posición interior es determinante en el modo de entender, estar y gozar nuestra existencia! ¡El éxito de la vida es seguir una ruta plena de gozo, mediante el valor, la voluntad y la inteligencia!. . .

¡El gozo de llegar a la cumbre pasa rápidamente, lo perdurable es el esfuerzo por conquistarla!

Para mí era difícil aceptar que existieran seres que dieran sus enseñanzas sin limitarse. Lo que recibí del Águila estaba impregnado de sabiduría y de ternura.

Fue al pasar por la cueva camino a la gruta que, sin desearlo, escuché las últimas palabras llenas de amor y ternura. . . y de agradecimiento, que el Águila con devoción y humildad dirigía a su hembra:

—*Ante ti, que eres el sentimiento más noble y sublime de mi vida, te prometo que cumpliré por los dos nuestra promesa. ¡Llegaré hasta el nivel cósmico!. . . ¡Sé que ahí estarás conmigo!. . .*

Con lágrimas en los ojos el Águila se retiró a meditar. Se veía renovada, plena de decisión y de amor. Respeté por un tiempo su silencio y después me atreví a preguntarle:

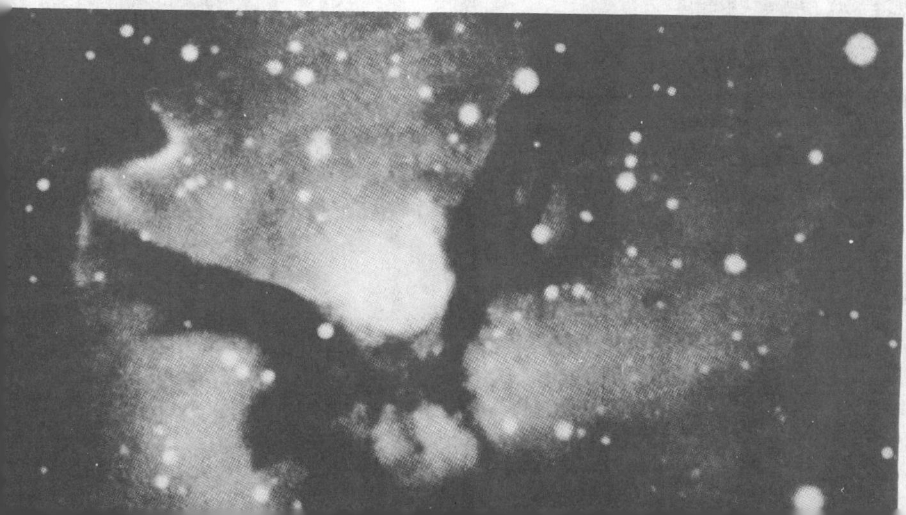

—¿CÓMO SE LLEGA

AL NIVEL CÓSMICO

El Águila se sorprendió al verme, pero sin intimidarse, con emoción relató:

—Cuando las águilas alcanzan su plenitud y aprenden a dominar los misterios de las alturas, pasan hacia otro nivel o espacio colmado de libertad. . . de claridad y de luz. Es un nivel lleno de cosas maravillosas y apasionantes. . . Es el don que el Creador otorga a los seres por ser capaces de darse sin reserva a sí mismos y a los demás; por cumplir sus retos vitales; por dar respuesta a su propia naturaleza y por ser fieles a sus convicciones, a su dignidad y a sus ideales.

Escuché maravillado su relato y de mutuo acuerdo tomé de nuevo con cuidado entre mis brazos al Águila para no lastimar sus heridas y la llevé a la gruta. En el trayecto terminó su relato:

—En el nivel cósmico dejas flotar con

libertad tus sentimientos y pensamientos, en una conciencia tranquila, armónica y plena. . . Es un espacio más allá de los pensamientos y de las palabras. . . Es el gozo infinito, trascendental y absoluto. . . es la plenitud. . .

Esperé el momento para preguntar:

—¿QUÉ REPRESENTA EN MI SER EL AMOR?. . .

Me sorprendió hacer una pregunta tan estructurada. Pero sin importarle al Águila contestó:

—Así como no puedes negarte a la libertad, tampoco puedes negarte al amor, porque forma parte esencial de la naturaleza de tu ser. Cada célula contiene la capacidad afectiva de amar.

"Creces en la medida en que amas, extendiendo tu conciencia y desencadenando tu energía interior.

"Al amar encuentras sentido

interno y profundo a la existencia, estímulos y apoyos para tu acción.

"El amor no es sólo una vivencia interior, ni sólo un acto de inteligencia y voluntad, sino la expresión fecunda y profunda del ser.

"En la medida en que vives la plenitud del ser, el amar a tus semejantes y a los seres vivientes es absolutamente natural, sin esfuerzo, sin disciplina y sin sacrificios, porque es la manifestación inevitable de tu ser pleno de amor."

Admirado y desconcertado pensé en voz alta:

—¿PLENITUD?... ¿EXISTE?... SIEMPRE ME HAN ENSEÑADO A NEGARLA.

El Águila sin dejar de mirarme afirmó:

—El ser tiene la libertad de optar por aprender, admirar y buscar la felicidad

o plenitud en su estancia en este mundo, como el máximo reto de su existencia. . .

Durante unos minutos guardó silencio y agregó:

—El amor auténtico orienta hacia la búsqueda de esa plenitud. . . de esa felicidad. . . de esa realización.

Después de pasar infinidad de reflexiones y experiencias significativas y profundas, el Águila ostentaba ya su precioso y nuevo plumaje y unas fuertes garras, y yo tenía ahora mi ''Ser'' pleno de pensamientos y energía. Nos habíamos renovado. . . Y habían cicatrizado nuestras heridas. El Águila en forma solemne se dirigió a mí diciendo:

—Por tus ojos veo que estás listo para volar. . . ¡Ambos estamos listos. . .!

¿Volar?. . . Me preguntaba. ¿Cómo voy a

volar?. . . ¿Me saldrán alas?. . . Estaba deseoso de saberlo. Con alegría pregunté:

—¿HACIA LA MONTAÑA ETERNA?. . .

—*¡¡Sí!!. . . llegaremos a su interior a través de sus ojos; en el fondo existe una flama cuidada celosamente por tres enormes águilas, para que los hombres sin amor, sin escrúpulos. . . sin fe, no la apaguen.*

El Águila veía con agrado el deseo sincero de conocer el misterio de la montaña y prosiguió:

—*Entre esa flama y los ojos existe "El sitio" que el sol cubre a la hora del crepúsculo. En ese momento, el hombre consciente de sí mismo escucha "Su voz" que, como un dulce canto, un sonido indefinible, se comunica con su "Ser" interior.*

Cuando terminó de hablar algo increíble sucedió. De su cuerpo empezó a emanar una luz intensa y brillante y ante mis ojos llenos de sorpresa comenzó a crecer. . . crecer. . . crecer. . . hasta que se convirtió en una gigantesca Águila. Fue un momento

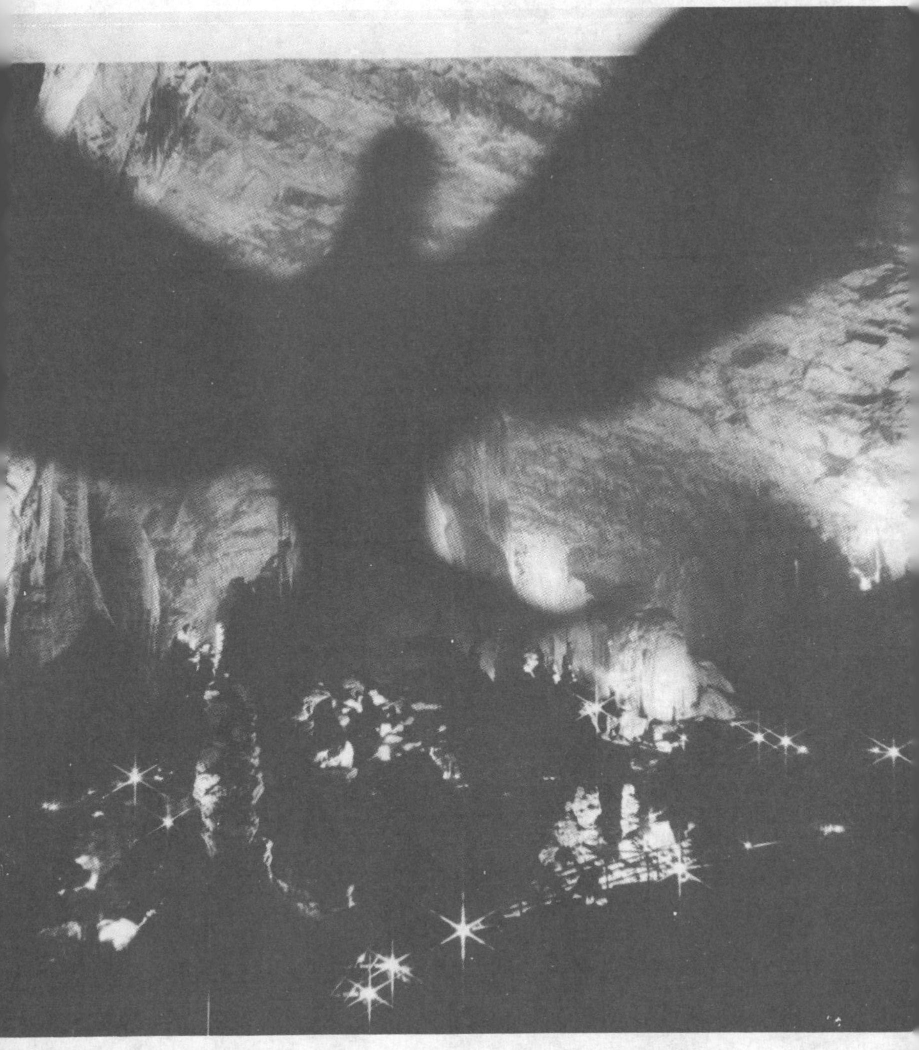

lleno de luz y de riqueza interior, y de una visión que estremeció todo mi cuerpo.

La gruta se iluminó y fue testigo de esa expresión de energía, de poder. . . de grandeza

Estaba aún expectante cuando el Águila amablemente me invitó a subir a su lomo. Al intentarlo caí torpemente. Con cariño, preocupado al verme en el suelo, tiernamente preguntó:

—*¿Te has hecho daño?*

Ante ese gesto de amor, mi corazón se regocijó.

Emprendimos el vuelo. . . Salimos de la gruta por el haz de luz. . . Al ascender, la naturaleza nos desafió y desencadenó su violencia. Las nubes cargadas de lluvia y de energía hacían lento nuestro avance. Estaba tenso, veía cómo los nubarrones cerraban el horizonte y cubrían las montañas. Lleno de miedo apresaba fuertemente las plumas del Águila.

Sentía vértigo a las alturas. . . temor al

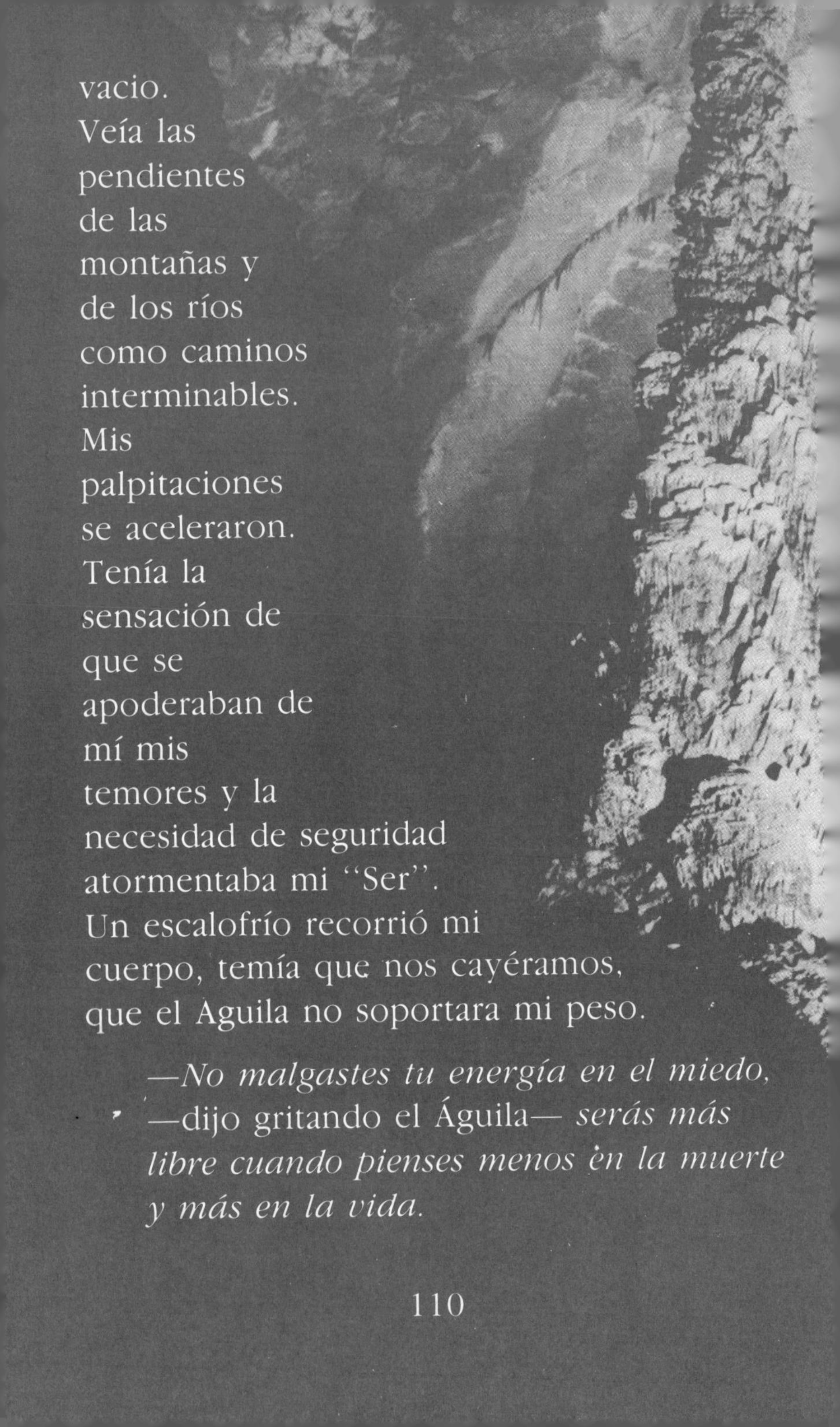

vacio.
Veía las
pendientes
de las
montañas y
de los ríos
como caminos
interminables.
Mis
palpitaciones
se aceleraron.
Tenía la
sensación de
que se
apoderaban de
mí mis
temores y la
necesidad de seguridad
atormentaba mi "Ser".
Un escalofrío recorrió mi
cuerpo, temía que nos cayéramos,
que el Aguila no soportara mi peso.

—No malgastes tu energía en el miedo,
—dijo gritando el Águila— *serás más
libre cuando pienses menos en la muerte
y más en la vida.*

El aire golpeaba
nuestras caras como un
despiadado látigo. El riesgo era constante y el esfuerzo inmenso. Se conjugaba el fuerte viento y la lluvia torrencial que desgarraban

las plumas del Águila y golpeaban sus ojos. El estallido de los rayos sacudían su vuelo y la ensordecían, pero Ella continuaba con determinación.

A pesar de mis esfuerzos, estaba paralizado, aún sentía temor a ser débil en ese nuevo mundo de las alturas. . . y de la libertad. Luchaba para no pensar en mis temores, en mi inseguridad ante esa nueva experiencia. Veía a lo lejos las corrientes y remolinos que intentaban devorarnos y destruirnos. Abrazaba con fuerza el cuerpo del Águila. Con esos comportamientos sus palabras se convertían en testimonio, dominando la situación con seguridad y cordura.

Inmersos cada uno en nuestros pensamientos y sentimientos, permanecimos volando largo tiempo, entre la obscuridad de la tormenta y el estruendo de los rayos.

El Águila rompió el silencio y casi gritando dijo:

—En las alturas pierdes el sentido de los espacios, de la distancia y de la

velocidad, pero no temas, mi corazón se dirige hacia la cumbre.

Sentía el gran esfuerzo que el Águila realizaba, oía el rumor de sus alas fatigadas por el viento helado que casi las congelaba y grité angustiado:

—¡ESTÁS AGOTADO!. . . REGRESEMOS.

El Águila contestó con voz tranquila:

—*Cuando hay una misión o causa que cumplir, no tienes el derecho de flaquear, es el momento en que debe darse lo mejor de uno mismo. . . A esta altura, la flaqueza puede significar el fin.*

La tormenta intensificó su furia y nos arrastró con fuerza huracanada hasta obligarnos a detenernos. . .

Mantuvimos silencio. Parecía contradictoria su acción, pero después de meditarlo entendí su enseñanza con mayor claridad cuando el Águila aclaró·

—Cuando están en juego los ideales y la vida, no flaquees, lucha por salvar ambos.

En medio de la tormenta tuvimos que resguardarnos entre las rocas de un acantilado. Ahí, en ese lugar incómodo y lleno de peligros y ruidos, acepté y comprendí que mis temores y miedos eran imaginarios, así como mi temor a enfrentarme a riesgos y responsabilidades, a ser rechazado, o a fracasar. . . a no ser *alguien.*

El Águila tranquila y con voz solemne continuó sus enseñanzas:

—¡Aprende a dar lo mejor de ti mismo en cada actividad, trabajo o misión! Porque esa actitud fue aceptada libremente por ti, para dar uso productivo y creativo a tus facultades, habilidades y talentos. Sólo en tu acción de aprender, lograr, amar y trabajar creativa y productivamente, encontrarás la verdadera razón de tu existir y la plena libertad. . .

La fuerza de la tormenta y del viento habían comenzado a ceder; se avivaron las esperanzas de seguir adelante. . . de ascender. Reanudamos el vuelo, pero sólo por un instante existió calma, porque conforme ascendíamos, las amenazantes corrientes que recorren las cumbres de las montañas nos desviaban, intentaban llevarnos hasta otro rumbo. La niebla se hizo espesa y oscureció el camino. . .

El Águila con firmeza expresó:

—Nuestra energía y voluntad no deben perderse en los peligros, esfuerzos y distancias, sino que es vital que las aprovechemos en enriquecer el deseo de llegar a la cima.

El frío era intenso y el viento helado. Las alas del Águila se llenaron de nieve y mis dedos tiesos se adherían con fuerza a su cuerpo.

Avanzábamos a través de la tormenta que caía fuertemente en nuestros rostros y cuerpos. Era un esfuerzo supremo del Águila por no dejarse dominar. Parecía que la altura nos aprisionaba y nos encerraba en su estruendo.

Al salir de una nube vimos brillar el sol; en ese instante se desvaneció la tormenta. La línea del horizonte se ensanchó, y la niebla fue menos densa y había claridad y transparencia.

Se retiraron los vientos y reinó la calma. Todo estaba tranquilo, ni un indicio de tormenta. Había llegado el momento. Sentí que la paz habitaba dentro de nosotros y crecía en ese espacio pleno de armonía y equilibrio.

A medida que íbamos ascendiendo, tenía

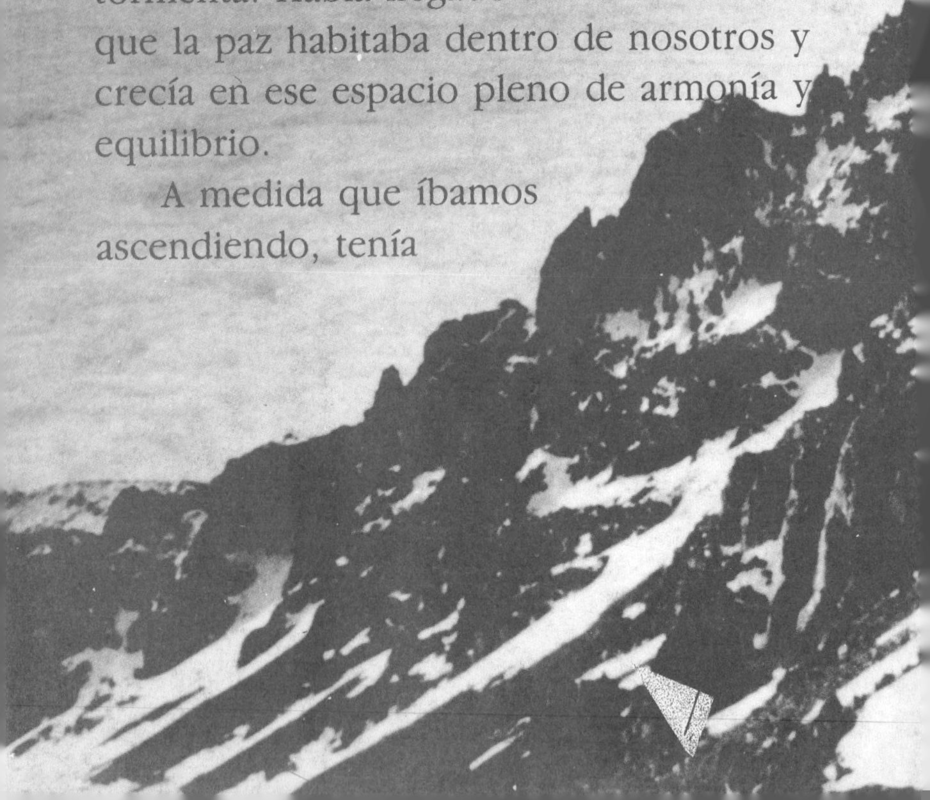

la sensación de que todo el espacio era nuestro. Mis pensamientos comenzaron a parecerme lógicos y perfectamente claros, sin necesidad de forcejeo o exceso de razonamiento. En esa bella claridad y en ese

espacio infinito, el vuelo del Águila armonizaba con la naturaleza. Volvió su cabeza y advirtió:

—Al volver no serás el mismo que antes; sin embargo, serás el mismo de siempre.

Algo grande iba a acontecer; comencé a sentir la vibración de gozo en el cuerpo del Águila, que llena de satisfacción anunció:

—Pronto llegaremos a la "Montaña Eterna"... Al escuchar su canto, tu conciencia y vitalidad crecerán, tus sentidos se agudizarán. Con ello vivirás momentos de éxtasis, de satisfacción interior... Percibirás cómo fluirá en ti la energía contenida y tu "Ser" se sentirá renovado.

Comenzamos a ver a lo lejos la cima de la "Montaña Eterna"; era una montaña enorme en forma de Águila, cubierta de nieve, que resplandecía con finos cristales y

protegía el valle en el cielo abierto e infinito.

La montaña dominaba en todas las direcciones; sus líneas conducían a la cima y daban la impresión de que fueron labradas siguiendo la búsqueda de la perfección.

Atónito contemplé su belleza deslumbrante y cegadora. Era algo increíble, una montaña llena de encanto y misterio que emanaba paz, grandeza y energía. Las nieves cubrían las laderas, como protegiéndola o manteniéndola oculta. No es posible describirla, sino contemplarla. En el horizonte tenía una gran presencia. . .
Su cabeza, erguida y desafiante. . . se elevaba hacia el cielo. Sus líneas forman un conjunto armónico, equilibrado. . . perfecto. . . Por la inclinación de sus glaciares y sus paredes cortadas, es imposible escalarla o conquistarla. No existe un solo lugar vulnerable. Únicamente se puede llegar a la cumbre volando. . . sólo volando.

Comprendí las palabras del Águila:

—*''Sólo volando libremente tu interior, puedes llegar a donde tú decidas.''*

Nos guiaron los ojos destellantes de la montaña maravillosa, como rayos de sol en el horizonte. Sentí que atrás de ella no había nada más. Hacía sentir plenitud, calma y reposo interior.

Escuché al Águila que con serenidad y sabiduría manifestó:

—*En estos espacios reina la armonía y el equilibrio interior. Alcanzarás esta armonía cuando por convicción aceptes a los vientos y a las tormentas, de la misma forma en que aceptas la belleza, el gozo. . . el amor.*

Empecé a sentir que desechaba lo superficial, lo vano, lo inútil y que me sumergía en una nueva realidad. . .

Tres enormes águilas con un plumaje dorado aparecieron en las alturas y nos acompañaron celosamente hasta la entrada de la montaña.

Al descender por el ojo de la montaña, permanecimos durante unos minutos inmóviles. . . en silencio. No podía creer lo que estaba viviendo, nos encontrábamos extasiados. . . maravillados. Algo vibraba en mi "Ser", era un encuentro deseado y esperado.

—*¡Al fin lo logramos!. . .* —gritó el Águila en una explosión de emoción.

Ambos, deseosos de vivir la experiencia, empezamos a penetrar por el ojo del "Águila Eterna". Principié por sentir una fuerza invisible que nos empujaba hacia el interior y atraía sutilmente.

Llegamos hasta "El sitio", una flama al centro de una enorme cueva de color azul rojizo. El Águila se detuvo ante la flama durante breves minutos, meditó, me miró fijamente y con un gesto de apoyo siguió su camino con intensa alegría, hasta perderse de vista. . .seguro de que la experiencia sería un apoyo para su compromiso.

Sentí gozo, pero al mismo tiempo temor e incertidumbre ante esa nueva experiencia. El día estaba muriendo, con un maravilloso crepúsculo de belleza increíble. La sombra de la cueva se recortaba hasta "El sitio" y lograba que el sol entrara como un mar de sangre y de luz absorbido por la suave arena del piso de la cueva.

Era para mí una nueva forma de apreciar la naturaleza, de sentir plenamente el esplendor, la grandeza de los espacios infinitos. Era vivir un mundo diferente. . . un mundo inconcebible en el cual iba sumergiéndome y en cada paso demandaba algo de mí. .. de mis ojos brotaron dos grandes lágrimas de emoción.

Un rayo que parecía traspasar con intensidad las rocas me paralizó. . . como un poderoso destello, se apoderó de mí una ola de energía, que sutilmente quemaba mi rostro y mi cuerpo, hasta nutrir todas y cada una de mis células y cada átomo de mi ser.

En ese estado de éxtasis escuché una voz en forma de canto:

"TU MISIÓN EMANA DESDE LO MÁS PROFUNDO DE TU SER. . . Y SE CUMPLE SI DESARROLLAS Y TRANSFORMAS CON CORAJE TU INTERIOR, TU REALIDAD Y TU MEDIO. . ."

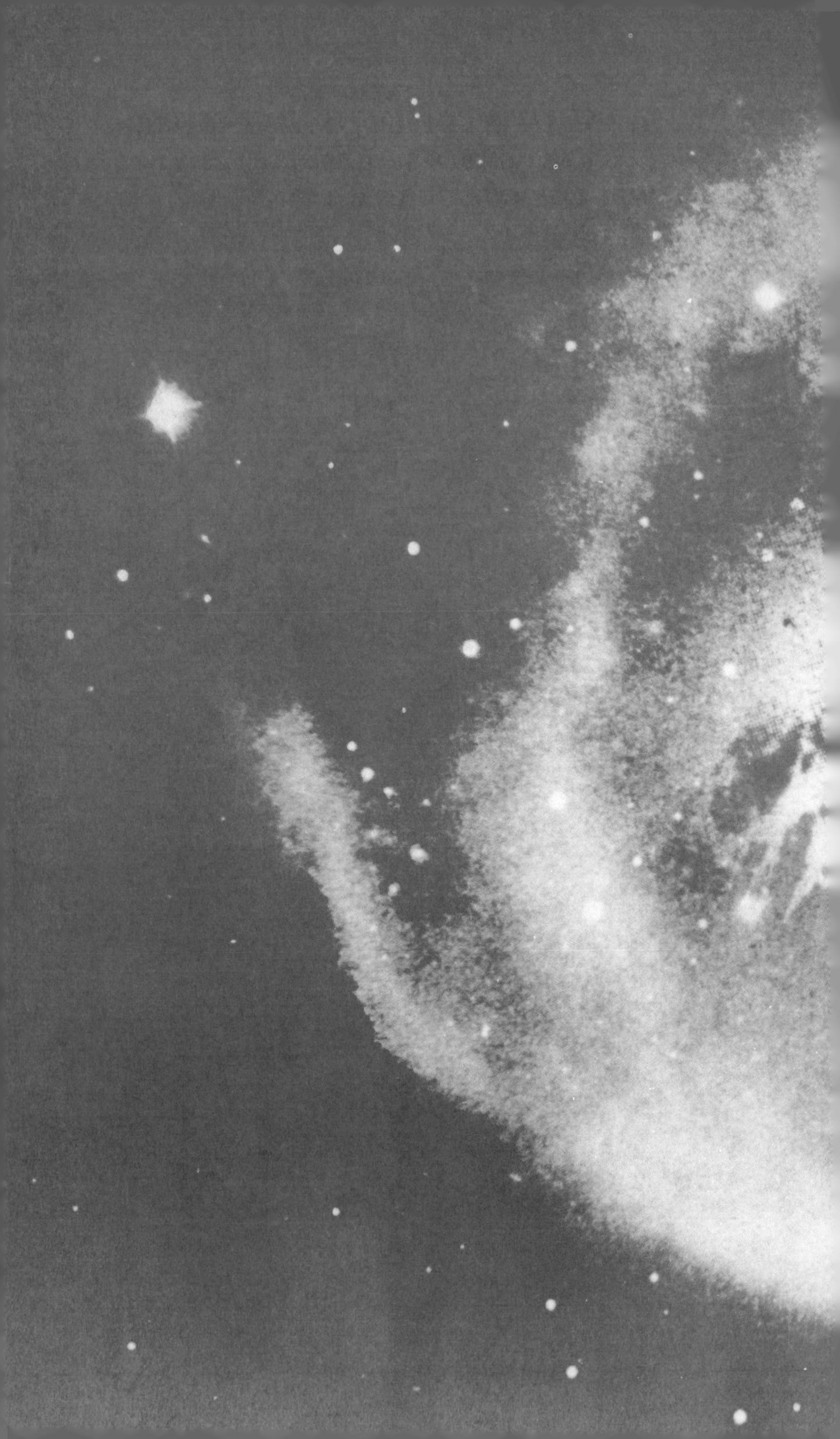

"SI ERES SOLIDARIO CON TUS SEMEJANTES, CON TU NATURALEZA Y CONVICCIONES;"

"SI VIVES CON SENTIDO. . . ENTREGA, AMOR Y FELICIDAD:"

"Y SI TE DEMUESTRAS CONTINUAMENTE A TRAVÉS DE RETOS DE LO QUE ERES CAPAZ DE SER O HACER;"

"Y APRENDES A TRASCENDER A TRAVÉS DE TUS ACTOS EN EL TIEMPO Y EN EL ESPACIO."

"SI TE NIEGAS POR COBARDÍA, COMODIDAD O ENAJENACIÓN. . . NADIE PODRÁ REEMPLAZARTE. . . Y QUEDARÁS SIN PARTICIPAR. . . SIN REALIZARTE. . ."

En esa atmósfera de plenitud, escuché el sonido de infinitas copas de cristal que transmitían la vibración de millares de corazones.

Deseché todos mis temores y quedé maravillado. Sentí deseos de abarcar con mis brazos la inmensidad de este resplandeciente mundo, lleno de bondad, de energía. Esa inmensa energía que encerraba la verdad

que desde tiempo atrás anhelaba. Había claridad en mi conciencia . . . comencé a experimentar un despertar diferente. . . desconocido.

Estuve embriagado, gozando absorto la sensación de estar ahí. . . de experimentar nuevas y desconocidas emociones. . . Una **percepción plena del momento, me permitió** vivir y gozar el atardecer, el crepúsculo de mi ''Ser'', que había dejado atrás lo absurdo, lo vano. . .

La cálida luz del ocaso arropaba mi cuerpo con una intensa sensación de dar y

de amar. . . Comprendí qué mi andar sería gratificante si tenía el coraje de descubrir en mi interior esa fuente inagotable de energía,

que permite que me conceptúe y valore como un ser capaz de transformarme a mí mismo hasta niveles de trascendencia.

Extasiado y con una profunda tranquilidad interior me senté frente a la

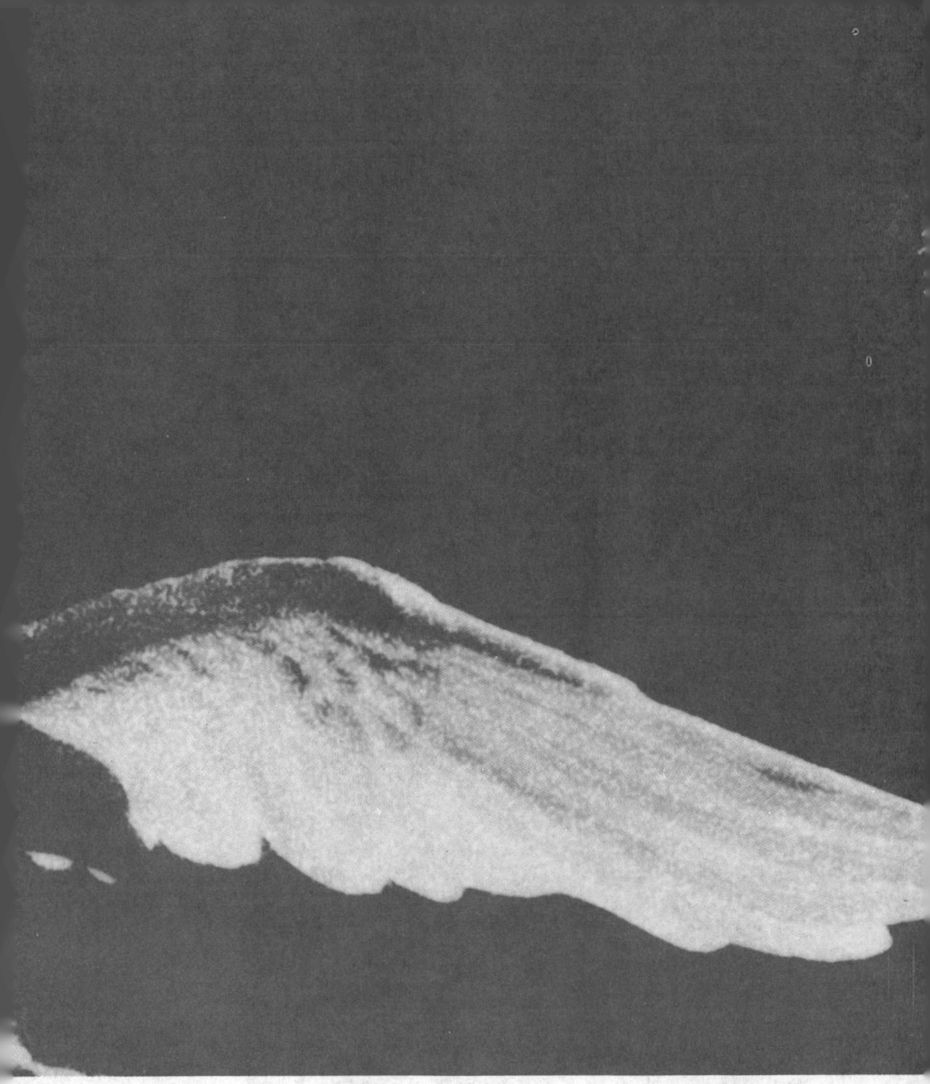

flama a reflexionar y entender el mensaje. Comprendí que había encontrado la esencia, pero que la razón de mi "Ser" requería buscarla en mis anhelos, sentimientos, valores, y en mi naturaleza.

Permanecí toda la noche viviendo esa sensación que vibraba en el ambiente. **Observando las estrellas, me pregunté:** ¿Seré capaz de desarrollarme y transformar mi realidad? ¿Podré aplicar todas estas enseñanzas en mi hacer diario? ¿Podré mantener esta apertura de libertad a mi "Ser"? ¿Seré capaz de enriquecer la concepción de mí mismo como ser humano?

Esas sensaciones, al lado de la flama, me dieron seguridad y tranquilidad. En mi interior tenía la armonía de mi alma y en mi rostro una sonrisa de alegría.

Cegó mis ojos la luz del sol, pintado de un rojo intenso, que anunciaba el amanecer y bañó con gratificante calor todo mi cuerpo. Sin dejar de mirar la flama, seguí entendiendo mi sentimiento, esa satisfacción, el gozo que me había producido ese momento. Me sentía más expresivo, más íntegro, unificado, menos dividido, luchando menos contra mí mismo. Más hermanado conmigo y con mis semejantes.

En contraluz, vi la figura del Águila que esperaba. Al acercarme la sentí plena de gozo y satisfacción, con gran alegría interior.

Estaba tan emocionado y deseoso de comunicarle mi experiencia que me olvidé de preguntarle la suya.

Fue el Águila la que antes de invitarme a subir expresó:

—¡Tu espíritu ahora tiene la fuerza, la grandeza, la libertad y el valor para volar a alturas insospechadas! . . .

Subí otra vez al lomo del Águila y volamos de regreso. El cielo estaba despejado, la naturaleza nos protegía, los vientos respetaban nuestro vuelo; no querían que tuviéramos tropiezos.

Sin prisa, a menudo nos deteníamos a descansar. El Águila con atención escuchaba mi experiencia, le narraba al detalle, lleno de emoción y satisfacción:

—VIVÍ INSTANTES EN DONDE TODO TENÍA SENTIDO. SENTÍ QUE MI "YO" SE DESPRENDÍA, ENTREGABA Y CONSAGRABA A LO QUE FORMA PARTE DE MÍ. TODOS LOS CABOS SUELTOS SE AMARRARON EN MI INTERIOR. DESCUBRÍ QUE DENTRO DE MÍ SE ENCUENTRA UN "YO INÉDITO" Y QUE SÓLO CON UN COMPROMISO PROFUNDO PODRÍA DESCUBRIRLO Y VIVIRLO PLENAMENTE. . .

COMPRENDÍ QUE ESOS MANDATOS QUE EMANAN DE MI INTERIOR NO SON ROMÁNTICOS IDEALES, O HIPÓCRITAS IMPERFECCIONES, SINO NUESTRA REALIDAD,

CÓMO SOMOS, QUÉ DESEAMOS, CÓMO DEBEMOS SER, ES LA COMPRENSIÓN DE NUESTRA NATURALEZA Y LAS TENDENCIAS DE LA VIDA, QUE ME LLAMAN EN MI CONSCIENTE O INCONSCIENTE A CUMPLIR CON MI MISIÓN COMO HUMANO.

DESCUBRÍ QUE CUANDO EXISTE EN MÍ LA AMBICIÓN DEL SER, PASIÓN Y AMOR POR LA MISIÓN, EL DESEO DE ACEPTAR RETOS Y EL ESPÍRITU DE LUCHA PARA ALCANZARLOS, SURGE EL PODER Y LA ENERGÍA

INTERIOR, QUE REFUERZA Y ENRIQUECE EL VALOR DE MIS ACCIONES. SON LAS FUERZAS QUE NO ME PERMITEN NEGARME Y QUE DEMANDAN MI ENTREGA.

Al llegar a la cueva permanecimos en silencio. Sabíamos que había que iniciar nuestra separación. El amor habitaba ya dentro de nosotros. Ninguno de los dos queríamos iniciarla, había tristeza en nuestros corazones; el ambiente estaba tenso.

Decidí actuar, dejar algo trascendente en mi estancia en ese lugar y empecé a esculpir en una pared de la gruta mi aprendizaje como signo de admiración y respeto al "Águila de Luz".

Ella siempre estuvo atenta. Su presencia llenaba de luz la gruta y emanaba esperanza, paz y amor. . .

Mi testimonio decía:

"EN MI OPCIÓN DE "SER", ENCONTRÉ EL CAMINO. . . PERO DEBO BUSCAR LA RAZÓN DE MI "SER". . . EN MIS IDEALES Y EN MI ESENCIA."

Al terminar de esculpir, el Águila llena de melancolía me solicitó:

—*¡Enséñame tus cinco piedras!*

Busqué en mis bolsillos y sorprendido vi que no las tenía.

—*No te preocupes* —me expresó el Águila—. *¡Han formado parte de ti. . .!*

—¿Parte de mí?. . . En sus ojos sentí la negación a mi posible pregunta. . . ¿Por qué guardaba ese secreto tan misteriosamente?. . . Comencé a especular sobre lo que representaban esas cinco piedras. Sería tal vez mi compromiso; mi decisión de ser; mi coraje de transformarme a mí mismo y a mi realidad; mi actitud de lucha; mi autonomía y coherencia o mi nueva concepción de mí mismo; de mis capacidades y potencialidades. . .
aún no lo sé.

Sentía el ambiente cargado de tristeza y de dolor. En nuestros semblantes había una negación a la separación. Mi corazón estaba lleno de agradecimiento y de riqueza, de amor y esperanza.

Alguien tenía que romper ese hechizo. Decidí levantarme y despedirme. Sin voltear la cabeza caminé hasta la salida de la gruta.

Al salir, sentí un fuerte impacto en mi interior. . . como si fuera arrancado del ritmo de un ensueño o una fantasía. . . estimulado por mis anhelos y compromisos regresé a mi realidad, con los míos, con todo lo que formaba parte de mí.

Desde esta nueva dimensión de mi libertad, logré sentir mi propio "Ser" en mi mundo que no había cambiado; enriquecer mi compromiso con todos los seres que forman parte de mí, dentro de una realidad concreta y real. Mi vida empezó a ser más creativa, productiva y retadora. . . Logré "ver" a mi "Ser" desde adentro, donde mi conciencia y mi libertad crecieron hasta niveles superiores, plenos de gozo y de felicidad infinita. . .

Desde ahí actué, viví y cumplí, dándome respuesta a mí mismo y logrando una nueva realidad y compromiso con mi Creador, con mis padres, mis semejantes, mi mundo. . .

Me convertí en protagonista de mi propia vida. Empecé a participar más activamente, manteniendo un espíritu de lucha en todas mis actividades, dando lo mejor de mí. Desde esta nueva dimensión de mi libertad, aprendí a fundirme con mayor armonía con el mundo en la acción, entregando al máximo mis facultades en el "hacer humano". Viví la acción más concreta, más real, con mayor certeza; con seguridad y libre de obstáculos, sin inhibiciones ni recelos y con realismo y objetividad. Participaba con mayor entrega, más espontáneo, creativo, productivo y fresco; menos premeditado. Más retador, como un río sin diques en donde fluye el sentido, la esencia, el calor y el amor. . . estaba lleno de valores, conciencia y libertad. . .

Hubo también tristezas, decepciones y rechazos del medio. En un momento de crisis y melancolía volví para hablar con el Águila. . . deseaba compartir mis experiencias; la busqué en la cueva y después en la gruta. Sentía su presencia. . . esperaba escuchar su voz, sus enseñanzas.

La esperé; estaba seguro de que existía, que no había sido un sueño y entonces fue cuando recordé sus palabras: "¡Las alturas están en tu corazón, entiende el momento histórico y hazlo tuyo, no retornes, prosigue tu camino!. . ." Y seguí mi camino. . .

Los habitantes del lugar cuentan que las "Águilas de Luz" se ven en la noche como puntos luminosos, brillantes en el cosmos y algunos aseguran que son una ficción, que nunca han existido.

Como un deseo interior de agradecimiento por sus enseñanzas que florecieron en mí, y al mismo tiempo de desafío al Águila, subí hasta la cima de la montaña y al empezar el atardecer que era de increíble belleza, me paré frente a la entrada de la cueva y levanté mis brazos hacia el cielo, deseoso de alcanzarlo. . . y abrazarlo. Con gran esperanza en mi corazón y en actitud de reto grité:

—A TI QUE HAS LOGRADO DESENCADENAR MI INTERIOR. . . QUE HAS ABIERTO LAS PUERTAS DE LA LIBERTAD. . . TE INVITO A QUE CON TU ENERGÍA Y CALOR DESCONGELES LOS CORAZONES HUMANOS. . . PARA QUE VUELVAN A VIVIR CON ALEGRÍA SUS IDEALES, SUS SENTIMIENTOS, SUS CONVICCIONES Y EMPRENDAN CON VALENTÍA, CORAJE Y AMOR, COMO SERES HUMANOS. . . LA LUCHA POR SU LIBERTAD INTERIOR. . . POR UN VIVIR PLENAMENTE REALIZADO.

AYUDA, ENSEÑA Y ESTIMULA PARA QUE SUS ESPÍRITUS DECIDAN EMPRENDER SU VUELO HACIA LAS ALTURAS. . . HACIA SU LIBERTAD. . .

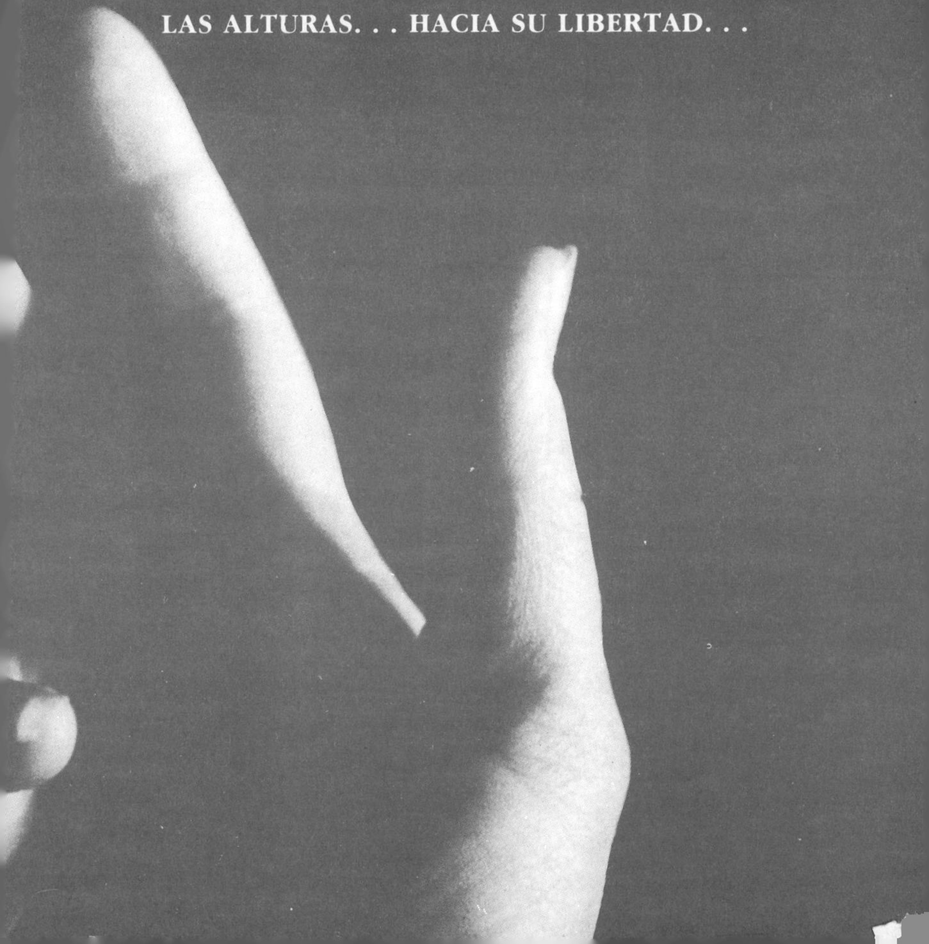

ESTA EDICIÓN SE TERMINÓ DE IMPRIMIR
EL 28 DE ENERO DE 2006 EN
LITOGRÁFICA TAURO, S.A.
ANDRÉS MOLINA ENRÍQUEZ No. 4428
COLONIA VIADUCTO PIEDAD
08200, MÉXICO, D.F.